PORTUGUÊS
SEM FRONTEIRAS
2

AUTORES

Equipa de professores de Português para estrangeiros do
CIAL — Centro de Línguas

Isabel Coimbra Leite
Filologia Germânica

Olga Mata Coimbra
Línguas e Literaturas Modernas

COORDENADOR LINGUÍSTICO E PEDAGÓGICO

António Manuel Correia Coimbra
Filologia Germânica

Lidel – edições técnicas, lda

LISBOA - PORTO - COIMBRA
http://www.lidel.pt (Lidel On-line)
e-mail: lidel.fca@mail.telepac.pt

Componentes do método

Nível 1

 LIVRO DO ALUNO

 LIVRO DO PROFESSOR

 CONJUNTO DE 2 CASSETES

Nível 2

 LIVRO DO ALUNO

 LIVRO DO PROFESSOR

 CONJUNTO DE 2 CASSETES

Nível 3

 LIVRO DO ALUNO

 LIVRO DO PROFESSOR

 CONJUNTO DE 3 CASSETES

(DESCRIÇÃO NA CONTRACAPA DESTE VOLUME)

EDIÇÃO E DISTRIBUIÇÃO

Lidel – edições técnicas, lda

ESCRITÓRIO: Rua D. Estefânia, 183 r/c Dto. – 1049-057 Lisboa – Telefs. 21 351 14 42 (Ens. Línguas/Exportação);
21 351 14 46 (Marketing/Formação): 21 351 14 43 (Revenda): 21 351 14 47/9 (Linhas de Autores);
21 351 14 48 (S. Vendas Medicina); 21 351 14 45 (Mailing/Internet): 21 351 14 41 (Tesouraria/Periódicos)
– Fax: 21 357 78 27 - 21 352 26 84
LIVRARIAS: LISBOA: Avenida Praia da Vitória, 14 - 1000-247 Lisboa – Telef. 21 354 14 18 – Fax 21 357 78 27
PORTO: Rua Damião de Góis, 452 – 4050-224 Porto – Telef. 22 509 79 95 – Fax 22 550 11 19
COIMBRA: Avenida Emídio Navarro, 11-2º – 3000-150 Coimbra – Telef. 239 82 24 86 – Fax 239 82 72 21

ILUSTRAÇÕES: Herlander Egídeo Sousa
CAPA: Maria Helena Annes Matos

Copyright © 1990, Setembro 1997
LIDEL – Edições Técnicas, Lda.

Impressão e acabamento: TIPOGRAFIA PERES, S.A.

ISBN 972-9018-13-8

Dep. Legal: 149263/00

Índice

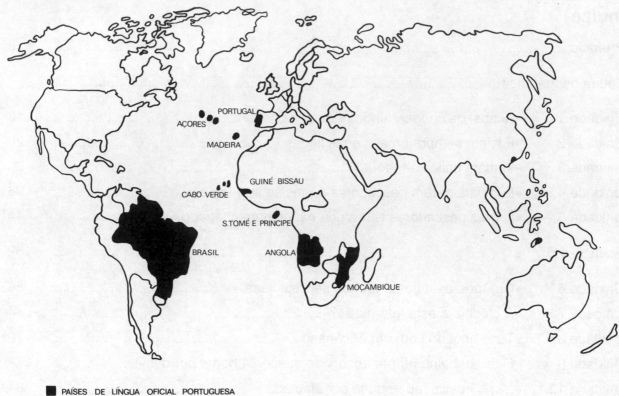

■ PAÍSES DE LÍNGUA OFICIAL PORTUGUESA

PREFÁCIO

De há muito que se fazia sentir a falta de um programa integrado e abrangente para o ensino da língua portuguesa a estrangeiros que em número sempre crescente, por razões de carácter cultural ou profissional, procuram entrar em contacto com uma comunidade linguística que no limiar do século XXI terá ultrapassado os 200 milhões de falantes em todos os continentes.

Perante esta realidade, e na certeza de ir ao encontro de uma necessidade fortemente sentida, as autoras, com base na longa experiência de ensino e elaboração de materiais didácticos da instituição a que pertencem, implementaram o projecto **Português Sem Fronteiras** de que agora se edita o Livro 2.

A grande aceitação a nível nacional e internacional alcançada pelo Livro 1, assegura a validade de todo o projecto, pela certeza de estar a preencher uma lacuna que a posição do Português como língua internacional exigia que fosse colmatada.

As Autoras

Tábua de matérias

UNIDADE	Áreas Lexicais/Tópicos Vocabulares	Áreas Gramaticais/Estruturas
1	Família (1) Dados pessoais	Expressões de tempo Conjugação perifrástica (1) Revisões: pretérito perfeito simples do indicativo (P.P.S.), imperativo, conjugação perifrástica
2	Família (2)	Conjugação perifrástica (2) Pretérito imperfeito do indicativo (1) Revisões: pronomes pessoais complemento directo e indirecto, imperativo
3	Cultura portuguesa (1) A vida na aldeia	Pretérito imperfeito do indicativo (2) Revisões: preposições
4	Jornalismo (1) A pesca	Infinitivo pessoal Do substantivo, o adjectivo Do adjectivo, o substantivo O verbo apropriado Revisões: graus dos adjectivos, imperfeito, advérbio «tanto»
5	Jornalismo (2) Regiões de Portugal (1)	Particípios regulares Pretérito mais-que-perfeito composto do indicativo Discurso directo/discurso indirecto Antonímia Revisões: presente do indicativo (P.I.), P.P.S.
6	Questões sociais Jornalismo (3)	Particípios irregulares Voz passiva (1) Do verbo, o substantivo
7	Tempos livres (1) Poluição (1)	Partícula apassivante Voz passiva (2) Do verbo, o substantivo Do adjectivo, o advérbio

UNIDADE	Áreas Lexicais/Tópicos Vocabulares	Áreas Gramaticais/Estruturas
8	Tempos livres (2)	Pretérito perfeito composto do indicativo Voz passiva (3) Do substantivo, o adjectivo Do verbo, o substantivo Revisões: P.P.S., pronomes pessoais complemento directo, voz passiva, preposições
9	O *stress* O trabalho	Colocação dos pronomes Revisões: pretérito perfeito composto do indicativo (P.P.C.), interrogativos, voz passiva
10	Poluição (2)	Verbos «dever» e «poder» Verbos «estar», «andar» e «ficar» + adjectivo Do substantivo, o adjectivo
11	Tempos livres (3) Cultura portuguesa (2) Os Descobrimentos Portugueses	Futuro imperfeito do indicativo (1) Relativos invariáveis
12	Cultura portuguesa (3) Viagens Regiões de Portugal (2)	Futuro imperfeito do indicativo (2) Interrogativas de confirmação Revisões: relativos
13	Cultura portuguesa (4) Tempos Livres (4) Os Santos Populares	Colocação dos possessivos Relativos variáveis Do substantivo, o adjectivo
14	Regiões de Portugal (3) Tempos livres (5)	Condicional presente (1) Derivação por prefixação Do substantivo, o adjectivo Revisões: pretérito mais-que-perfeito composto do indicativo
15	O Fado Cultura portuguesa (5)	Condicional presente (2) Derivação por sufixação (1) Advérbio «antes» Revisões: relativos, locuções conjuncionais

UNIDADE	Áreas Lexicais/Tópicos Vocabulares	Áreas Gramaticais/Estruturas
16	Mobiliário urbano	Infinitivo impessoal Contracção dos pronomes complemento directo com complemento indirecto Revisões: graus dos adjectivos, conjugação pronominal
17	A emigração açoriana Regiões de Portugal (4)	Substantivos colectivos Advérbios em -mente Revisões: imperativo negativo, imperativo afirmativo, flexão dos adjectivos, voz passiva, voz activa
18	A tourada à portuguesa Cultura portuguesa (6) Tempos livres (6)	Particípios duplos Do substantivo, o adjectivo Do adjectivo, o substantivo
19	O Carnaval em Portugal Cultura portuguesa (7) Regiões de Portugal (5)	Gerúndio «ser» vs. «estar» Revisões: P.P.S., condicional
20	A Feira da Ladra Cultura portuguesa (8) Tempos livres (8)	Conjugação perifrástica: ir + gerúndio Derivação por sufixação (2)

«Acabei de chegar, ainda nem fui a casa.»

Áreas gramaticais/Estruturas

Expressões de tempo com | **desde** e **há**

Conjugação perifrástica: | **acabar de + infinitivo**

| **andar   a + infinitivo**

Locuções prepositivas: **em vez de**

Diálogo

Nuno: Parabéns,vó.

Avó São: Olá, meu filho. Dá cá um beijinho. Quando é que voltaste?

Nuno: Acabei de chegar, ainda nem fui a casa.

Avó São: E então a reportagem correu bem?

Nuno: Esta primeira fase é um pouco cansativa, mas muito interessante. Já andamos a fazer este trabalho desde Janeiro e no fim do mês temos de lá voltar.
Bom, vó, mas diga lá, quantos anos faz. Cinquenta?

Avó São: Ora, não brinques. Já entrei na casa dos setenta.

Nuno: Então tome lá esta prendinha. É só uma lembrança, porque já sabe que ando sempre *liso*.

Avó São: Porque é que foste gastar dinheiro comigo, filho? A tua presença é que conta.

Nuno: Obrigado, vó. Mas onde é que estão os outros? Não os vejo há dois meses.

Avó São: A Inês está na faculdade e os teus pais nunca chegam a casa antes das 18:30.

Nuno: Jantamos em casa ou vamos festejar os seus anos a algum lado?

Avó São: Comemos em casa. Eu própria preparei o jantar e a tua mãe logo traz um bolo.

Nuno: Ainda bem. Não há como a comida da avó e de restaurantes estou eu farto.

— Vamos lá falar!

Oralidade 1

Os dois irmãos, o Nuno e a Inês, estão na sala a conversar:

Inês: Onde é que tiveste de ir, desta vez?

Nuno: Desta vez, tive de ir à Madeira. _____ (*Madeira*)

Inês: O que é que lá foste fazer?

Nuno: _____ (*reportagem fotográfica*)

Inês: Quanto tempo é que lá estiveste?

Nuno: _____ (*quinze dias*)

Inês: Onde é que ficaste?

Nuno: _____ (*Hotel Atlântico*)

Inês: Quando é que vieste?

Nuno: _____ (*hoje de manhã*)

Oralidade 2 📼

Exemplo:	— Tens uma caneta? — *Tenho. Toma lá.*
	— Precisas do dicionário? — *Preciso. Dá cá.*

1 — Emprestas-me a tua máquina fotográfica?
— _____

4.— Posso levar essa revista?
— _____

2.— Trouxeste-me alguma coisa?
— _____

5.— Sabes como é que isto trabalha?
— _____

3. — Queres ver as fotografias que eu tirei?
— _____

6.— Estes óculos são teus?
— _____

Oralidade 3 📼

A avó São está a dar conselhos ao Nuno:

Nuno: Estou cheio de sede...

Avó: *Bebe um sumo de laranja.* _____ (*beber /sumo de laranja*)

Nuno: E estou a ficar com dores de cabeça.

Avó: _____ (*tomar / comprimido*)

Nuno: Sim. É melhor. A viagem foi muito cansativa...

Avó : _____ (*deitar-se / bocadinho*)

Nuno: Não posso. Ainda tenho de ir ao jornal.

Avó : _____ (*esquecer-se / jantar*)

Nuno: Ai não esqueço não. Já estou cá com uma fome!

Avó : _____ (*ir / cozinha*)
         e _____ (*fazer / sandes*)

Nuno: Já não tenho tempo. Até já, vó.

Avó : Até já. _____ (*vir / tarde*)

Apresentação 1

Passado recente
acabar de (P.P.S.) + infinitivo
O Nuno chegou agora mesmo. O Nuno **acabou de chegar**.

Oralidade 4 ▭

1.	Saíram agora mesmo.	4.	Guardei a máquina agora mesmo.
2.	Levantei-me agora mesmo.	5.	Falámos com ele agora mesmo.
3.	O Nuno telefonou-me agora mesmo.	6.	Vi-os agora mesmo.

Oralidade 5 ▭

> **Exemplo:** — Quando é que voltaste?
>
> *(chegar / ir a casa)*
>
> — *Acabei de chegar, ainda nem fui a casa.*

1. — Sabes do jornal?
   (ler / arrumar)
   —

2. — A Inês já está a pé?
   (levantar-se / tomar banho)
   —

3. — Eles ainda cá estão?
   (sair / ter tempo de chegar ao carro)
   —

4. — Quando é que o Nuno voltou?
   (chegar / ver os pais)
   —

5. — Já chegou há muito tempo?
   (entrar / despir o casaco)
   —

6. — O relatório já está pronto?
   (escrever / reler)
   —

Oralidade 6 ▭

> **Exemplo:** ela / fazer o almoço
>
> *Ela vai fazer o almoço.*
> *Ela está a fazer o almoço.*
> *Ela acabou de fazer o almoço.*

1. eu / fazer as camas

2. ele / telefonar para o consultório

3. eles / ler o jornal

4. elas / ver o filme

5. eu / tomar duche

6. ela / pôr a mesa

Apresentação 2

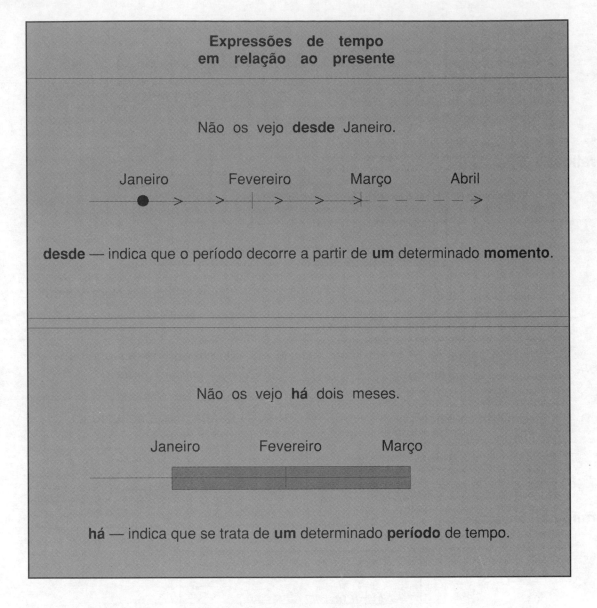

Expressões de tempo em relação ao presente

Não os vejo **desde** Janeiro.

Janeiro   Fevereiro   Março   Abril

desde — indica que o período decorre a partir de **um** determinado **momento**.

Não os vejo **há** dois meses.

Janeiro   Fevereiro   Março

há — indica que se trata de **um** determinado **período** de tempo.

Oralidade 7 📼

1. São 15:00. Ele está a estudar *desde* o meio-dia; está a estudar *há* três horas.

2. Estamos em 1990. Ando nesta escola *há* dois anos; ando nesta escola *desde* 1988.

3. Estamos em Outubro. Ele vive no Porto *há* sete meses; vive lá *desde* Março.

Oralidade 8 📼

1. Está doente _____ quinze dias.

2. Não lhes escrevo _____ o mês passado.

3. _____ quanto tempo é que trabalham para o jornal?

4. Trabalhamos lá _____ dois anos.

5. O Nuno está a viver num apartamento _____ os vinte anos.

6. Estamos à espera do autocarro _____ meia hora.

7. Não como nada _____ as nove. Estou cheia de fome!

8. _____ quando é que ela anda na faculdade?

9. Anda lá _____ 1984.

10. Não saio com eles _____ muito tempo.

Apresentação 3

A

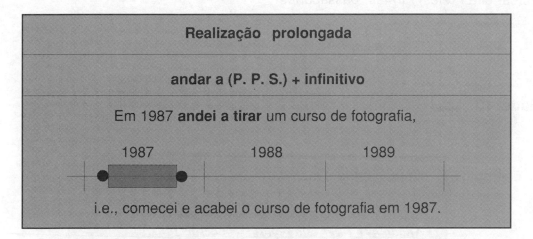

Realização prolongada

andar a (P. P. S.) + infinitivo

Em 1987 **andei a tirar** um curso de fotografia,

1987   1988   1989

i.e., comecei e acabei o curso de fotografia em 1987.

B

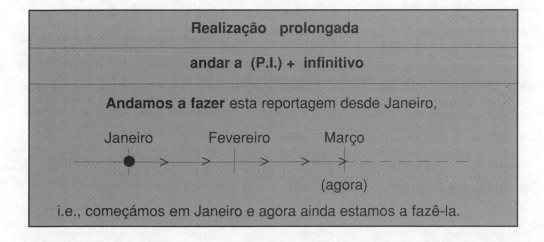

Realização prolongada

andar a (P.I.) + infinitivo

Andamos a fazer esta reportagem desde Janeiro,

Janeiro   Fevereiro   Março

(agora)

i.e., começámos em Janeiro e agora ainda estamos a fazê-la.

Oralidade 9 🔲

Exemplo:	1987 / (eu) / tirar / curso de fotografia
	Em 1987 andei a tirar um curso de fotografia.

1. férias grandes / Inês / trabalhar / restaurante

2. Julho / (nós) / pintar / casa

3. mês passado / Diogo / tirar / carta de condução

4. férias do Natal / (eu) / ler / "Os Maias"

5. terça-feira / (eles) / tratar / passaportes

Oralidade 10 🔲

Exemplo:	**Começámos** a fazer esta reportagem **em** Janeiro.
	Andamos a fazer esta reportagem desde Janeiro.

1. Comecei a estudar português em 1987.

2. Ele começou a pagar o carro em Fevereiro.

3. Começaram a tirar fotografias na segunda-feira.

4. Ela começou a fazer o trabalho em Maio.

5. Começámos a arranjar a casa no Verão

Texto

A família Vilar

Nome:	Maria da Conceição da Silva Reis Moreira
Idade:	70 anos
Estado Civil:	Viúva
Profissão:	Doméstica

A avó São vive em casa da filha desde que o marido morreu. No entanto, continua a dar-se com os amigos e sempre que pode vai viajar com eles.

Nome:	Afonso Marques Vilar
Idade:	52 anos
Estado Civil:	Casado
Profissão:	Advogado

O Dr. Vilar é consultor jurídico numa companhia de seguros. Para além disso, tem um escritório com mais dois colegas, onde costuma ir ao fim da tarde.

Nome:	Maria Helena Reis Moreira Vilar
Idade:	47 anos
Estado Civil:	Casada
Profissão:	Assistente Social

A D. Helena (Lena) trabalha para a Câmara Municipal de Lisboa há alguns anos. Neste momento colabora num projecto de alargamento de jardins de infância em bairros sociais.

Nome:	Inês Moreira Vilar
Idade:	25 anos
Estado Civil:	Solteira
Profissão:	Estudante

A Inês está no último ano de Relações Internacionais. Já tem ideias claras sobre o que há-de fazer mais tarde. Em vez de seguir a carreira diplomática, quer antes ficar ligada ao mundo das empresas.

Nome:	Nuno Moreira Vilar
Idade:	23 anos
Estado Civil:	Solteiro
Profissão:	Fotógrafo

O Nuno trabalha num jornal desde os vinte anos. Quando acabou o secundário, não quis ir para a faculdade e foi tirar um curso de fotografia à Suécia. Vive com um amigo num apartamento em Carcavelos.

— Vamos lá escrever!

Compreensão

1. Com quem é que a D. Conceição mora? Porquê?

2. Qual é a profissão do Dr. Vilar? Onde é que ele trabalha?

3. O que é que a D. Helena faz? Em que é que ela está a trabalhar neste momento?

4. Que curso é que a Inês está a tirar? O que é que pretende fazer no futuro?

5. Há quanto tempo é que o Nuno trabalha no jornal? O que é que ele lá faz?

Escrita 1

Quando o Nuno chegou ao Hotel Atlântico, teve de preencher uma ficha de identificação.

HOTEL ATLÂNTICO

Nome: *Nuno*   Apelido: *Moreira Vilar*   Data de nascimento: *14/07/65*

Naturalidade: *Leiria*   Nacionalidade: *Portuguesa*   Estado Civil: *Solteiro*

Morada: *Rua 5 de Outubro, 74- 9.º Fte. - Carcavelos - 2750 PAREDE*

~~Passaporte~~/BI n.º: *039955714*   Profissão: *Fotógrafo*   Local de trabalho: *Jornal da Cidade — Lisboa*

Agora preencha uma ficha idêntica à anterior com os seus dados pessoais.

HOTEL ATLÂNTICO

Nome:_____   Apelido:_____   Data de nascimento:_____

Naturalidade:_____   Nacionalidade:_____   Estado Civil:_____

Morada:_____

Passaporte/BI n.º:_____   Profissão:_____   Local de trabalho:_____

Escrita 2

Complete o diálogo.

1. _____ ?

   Nuno Moreira Vilar.

2. _____ ?

   14 de Julho de 1965.

3. _____ ?

   Solteiro.

4. _____ ?

   Rua 5 de Outubro, 74 - 9° Fte. - Carcavelos - 2750 PAREDE.

5. _____ ?

   Portuguesa.

6. _____ ?

   039955714.

7. _____ ?

   Fotógrafo.

8. _____ ?

   Jornal da Cidade – Lisboa.

Sumário

Objectivos funcionais

Dar informações de carácter pessoal	(Ver Ficha de Identificação pág. 16)
Falar de acções que vêm do passado até ao presente	«Já andamos a fazer este trabalho desde Janeiro.»
	«Não os vejo há dois meses.»
Falar de acções recentemente concluídas	«Acabei de chegar (...)»
Solicitação recíproca	«Toma lá.» «Dá cá.»

Vocabulário

Substantivos e adjectivos:

o alargamento	a companhia de seguros	o fotógrafo	a presença
o apelido	o conselho	frente (adj.)	o projecto
a assistente social	o consultor jurídico	o jardim de infância	Relações Internacionais
o bairro	diplomático (adj.)	liso (adj.)	a reportagem
o bilhete de identidade	a doméstica	a Madeira	o secundário
a Câmara Municipal	o estado civil	o nascimento	social (adj.)
de Lisboa	a fase	a naturalidade	solteiro (adj.)
Carcavelos	a ficha de identificação	a Parede	viúvo (adj.)
a carta de condução	a fotografia	a prendinha	
casado (adj.)	fotográfico (adj.)		

Expressões:

Dá cá...	na casa dos	tirar { a carta de condução
dar conselhos	Não há como ...	fotografias
dar-se com	quinze dias	Toma lá...

Verbos:

colaborar (em)	pintar	reler	

«Faziam sempre umas cenas lindas.»

Áreas gramaticais/Estruturas

Conjugação perifrástica: | **costumar + infinitivo**

Pretérito imperfeito do indicativo: | **verbos regulares em – ar, – er** e **–ir**

Advérbios: **senão**

Diálogo

Nuno: E lembram-se de quando eu e a Inês fazíamos birra porque não queríamos comer sopa?

Mãe: Lembro-me muito bem, Nuno. Acabavam por comê-la à força, senão não saíam da mesa.

Pai: Pois é. Faziam sempre umas cenas lindas. A vossa avó é que não se importava nada de vos aturar.

Inês: As avós são um amor, não são?

Avó: Sempre quero ver como vai ser contigo. Olha que é preciso muita paciência e jeito para lidar com crianças.

Nuno: Nunca mais me esqueci do que a Inês fazia quando estava com sono.

Inês: O quê? Vá, diz lá!

Nuno: Ias buscar a almofada e o teu lenço, deitavas-te no chão e ficavas assim, a esfregá-lo no nariz montes de tempo.

Inês: E tu? Tiveste chucha até aos cinco anos. Que vergonha!

Avó: Então, meninos. Não se zanguem. Agora vou eu contar-vos o que é que o vosso pai costumava fazer em pequeno.

 # — Vamos lá falar!

Oralidade 1

Exemplo:	Acabavam por comer **a sopa** à força.
	Acabavam por comê-la à força.

1. O Nuno chegou ontem e foi logo visitar **a família**.

2. A avó São gostou muito de ver **o neto**.

3. Deu um grande abraço **ao Nuno** para matar saudades.

4. Depois de jantar ele e a irmã estiveram a recordar **momentos da infância**.

5. Os pais divertiram-se imenso a ouvir **o Nuno e a Inês**.

6. A Inês não achou muita graça **a certas histórias**.

7. O Nuno esteve tão ocupado no dia seguinte que nem teve tempo de telefonar **aos amigos**.

8. Esteve a dar os últimos retoques **à reportagem**.

9. Depois foi entregar **a reportagem** ao jornal.

10. Foi um sucesso. Todos os colegas deram os parabéns **ao Nuno**.

Oralidade 2

Exemplo:
— Então, não fazes o trabalho?
— Não, agora não posso. *Faz tu.*

1. — Então, o senhor não entra?
   — Não, não. _____
   _____

2. — Então, não vêm?
   — Não, não nos apetece. _____
   _____

3. — Então, não fala com ela?
   — Não, agora não posso. _____

4. — Então, não vens?
   — Não, ainda não. _____
   _____

5. — Então, não descem?
   — Não, não. _____
   _____

6. — Então, não fechas a janela?
   — Não, não chego lá. _____
   _____

7. — Então, não lê o jornal?
   — Não, agora não. _____

8. — Então, não atendes o telefone?
   — Não, não posso. _____

9. — Então, não abre a porta?
   — Não, estou ocupada. _____
   _____

10. —Então, não lhe dá a notícia?
   —Não, agora não posso. _____
   _____

Apresentação 1

A	Pretérito imperfeito do indicativo
	Verbos em –ar
(eu)	acab**ava**
(tu)	d**avas**
(você, ele, ela)	est**ava**
(nós)	fal**ávamos**
(vocês, eles, elas)	tom**avam**

Oralidade 3

1. Eu **brincava** lá fora.
2. Tu **gostavas** da escola.
3. Você **viajava** muito.
4. Ele **dava** aulas a adultos.
5. Ela **tomava** conta de crianças.

6. Nós **estávamos** no Norte.
7. Vocês **jantavam** sempre tarde.
8. Eles **conversavam** muito.
9. Elas **estudavam** juntas.

B	Pretérito imperfeito do indicativo	
	Verbos em – **er** e –**ir**	
(eu)	abr **ia**	
(tu)	com **ias**	
(você, ele, ela)	ped **ia**	
(nós)	part **íamos**	
(vocês, eles, elas)	quer **iam**	

NB.: ir – ia, ias, ia, íamos, iam
cair – caía, caías, caía, caíamos, caíam
sair – saía, saías, saía, saíamos, saíam

Oralidade 4

1. Eu **ouvia** música.
2. Tu **bebias** muito.
3. Você **dormia** até tarde.
4. Ele **lia** o jornal.
5. Ela **saía** de casa cedo.

6 Nós **íamos** ao cinema.
7. Vocês **faziam** os exercícios.
8. Eles **viviam** no estrangeiro.
9. Elas **perdiam**-se sempre na cidade.

Apresentação 2

Pretérito imperfeito do indicativo
Emprego
1. **Aspecto durativo**   Referência a um acontecimento a decorrer no passado (1)
2. **Aspecto frequentativo**   Acção habitual e repetida no passado (2)

Oralidade 5

1. Naquele tempo **viviam** fora da cidade.
2. Depois da escola **faziam** sempre os trabalhos de casa.

Oralidade 6

1. O Nuno e a Inês _____ (*portar-se*) mal à mesa.

2. Quando ela _____ (*estar*) com sono, _____ (*ir*) buscar a almofada e _____ (*deitar-se*) no chão.

3. Eles _____ (*levantar-se*) cedo, _____ (*tomar*) o pequeno-almoço e depois _____ (*ir*) para a escola.

4. À tarde _____ (*fazer*) os trabalhos de casa: a Inês _____ (*ajudar*) o Nuno com as línguas e o Nuno _____-lhe (*explicar*) a matemática.

5. Os dois _____ (*dar-se*) bem em pequenos e_____ (*brincar*) juntos.

Apresentação 3

	Acção habitual no passado	
	costumar (imperfeito) + infinitivo	
(eu)	costumava	
(tu)	costumavas	ler
(você, ele, ela)	costumava	sair
(nós)	costumávamos	viajar
(vocês, eles, elas)	costumavam	

Oralidade 7 ▭

Exemplo:	Miguel / escrever / revista — agora / jornal ***O Miguel costumava escrever para uma revista; agora escreve para um jornal.***

1. eles / ter férias / Agosto — agora / Setembro

2. avó / viver / sozinha — agora / casa / filha

3. nós / dar aulas / crianças — agora / adultos

4. mãe deles / fazer compras / mercearia — agora / supermercado

5. eu / usar óculos — agora / lentes de contacto

Oralidade 8 ▭

Exemplo:	Naquele tempo havia pouco movimento na aldeia. ***Naquele tempo costumava haver pouco movimento na aldeia.***

1. À segunda-feira não **havia** mercado.

2. Por isso **fazíamos** as compras na mercearia local.

3.   Durante a semana **passava** o dia na praia.

4.   À tardinha **davas** um passeio de bicicleta.

5.   Ele **andava** pelos campos onde os animais estavam a pastar.

6.   Ela **encontrava-se** com ele no café do centro depois de jantar.

7.   À sexta-feira à noite **iam** ao cinema.

8.   **Passava** sempre um filme de terror.

9.   Aos domingos **faziam** um piquenique.

10. A praia **estava** cheia de gente.

Texto

A mãe do Nuno e da Inês andava a fazer arrumações no sótão, quando encontrou umas cartas do tempo em que ainda namorava com o Dr. Afonso Vilar. Este, na altura, frequentava um colégio interno famoso pela disciplina que tentava impor aos seus alunos. A D. Helena resolveu recordar alguns passos daquelas cartas.

«De manhã levantamo-nos às seis horas. Fazemos as camas, arrumamos a roupa e vamos tomar um duche. Depois descemos até ao 1.° andar onde fica o refeitório. Tomamos o pequeno-almoço quase em silêncio absoluto e a seguir vamos para a capela do colégio e assistimos à missa das sete. Às oito em ponto começam as aulas e só paramos ao meio-dia para almoçar. À tarde fazemos ginástica e por volta das cinco até às sete da tarde ficamos na biblioteca: estudamos, consultamos livros, mas não podemos conversar.»

✎ — Vamos lá escrever!

Compreensão

1. Porque é que a D. Helena estava no sotão?

2. O que é que a fez recordar os seus tempos de solteira?

3. Costumava ver o namorado todos os dias? Justifique.

4. O que é que tornava o colégio famoso?

5. De que é que o Dr. Afonso Vilar falava na carta?

Escrita 1

Imagine que a D. Helena está a contar ao Nuno e à Inês o que o pai **fazia** quando **andava** no colégio interno. Comece assim:

De manhã

Escrita 2

Faça frases como as do exemplo.

| **Exemplo:** | carros / ir de bicicleta para o emprego |
| | *Antigamente não havia carros. Ia-se de bicicleta para o emprego.* |

1. máquinas de lavar roupa / lavar tudo à mão

2. aviões / viajar de comboio

3. telefones / escrever muitas cartas

4. televisão / ir ao teatro

5. gira-discos / cantar com os amigos ao serão

Sumário

Objectivos funcionais

Apaziguar	«Então, meninos. Não se zanguem.»
Dar ênfase	«Agora vou eu contar-vos…»
Expressar impaciência	«O quê? Vá, diz lá!»
Expressar ironia	«Faziam sempre umas cenas lindas.»
Falar de acções habituais no passado	«(…) eu e a Inês fazíamos birra porque não queríamos comer sopa.»
	«(…) o vosso pai costumava fazer em pequeno.»
Repreender	«Que vergonha!»

Vocabulário

Substantivos e adjectivos:

o abraço	a chucha	a lente de contacto	o retoque
absoluto (adj.)	o colégio	local (adj.)	o serão
o adulto	a disciplina	a missa	o silêncio
a aldeia	o estrangeiro	o movimento	o sótão
a almofada	a graça	o neto	o sucesso
o animal	a infância	a paciência	o terror
a birra	interno (adj.)	o passo	a vergonha
a capela	o jeito	o piquenique	
a cena	o lenço	o refeitório	

Expressões:

à força	em pequeno	montes de tempo	tomar conta de
achar graça	estar ocupado	passar um filme	usar { lentes de contacto / óculos
consultar um livro	fazer { birra / cenas / um piquenique	Que vergonha!	
dar { a notícia / os últimos retoques / um abraço			

Verbos:

aturar	explicar	namorar	portar-se
consultar	frequentar	pastar	recordar
divertir-se	impor	parar	zangar-se
esfregar	lidar (com)		

«Tinham bailes e tudo!!!»

Áreas gramaticais/Estruturas

Pretérito imperfeito do indicativo: | **verbos irregulares**

Diálogo

Nuno:	Já chegámos, pai?
Dr. Vilar:	Já. Agora vamos o resto do caminho a pé.
D. Helena:	Ali naquela esquina ficava o Café Central. Lembras-te Afonso?
Dr. Vilar:	É claro que me lembro. Passávamos lá as noites e ao fundo havia um coreto onde tocava a banda da aldeia e onde se faziam os bailaricos de domingo.
Inês:	Tinham bailes e tudo!!! Era uma aldeia muito desenvolvida!
D. Helena:	Não gozes com as nossas distracções. Olha que toda a gente se divertia imenso. Púnhamos a nossa melhor roupa e íamos dançar. Dançávamos pela noite dentro, fazíamos marchas e cantávamos. Foi assim que conheci o teu pai.
Nuno:	Não me diga que foi num desses famosos bailaricos?
Dr. Vilar:	É verdade. Tinha a tua mãe quinze anos e eu tinha dezassete.
Inês:	E as raparigas podiam ficar até tarde na rua?
D. Helena:	Bem, nem sempre. Mas em férias e em dia de festa na aldeia os avós não punham objecções.
Dr. Vilar:	Além disso, era um meio pequeno e toda a gente se conhecia. Eram bons tempos, filha.

 # — Vamos lá falar!

Apresentação 1

A	Pretério imperfeito do indicativo	
	Verbo **ser**	
	(eu)	**era**
	(tu)	**eras**
	(você, ele, ela)	**era**
	(nós)	**éramos**
	(vocês, eles, elas)	**eram**

Oralidade 1

1.	Eu era	4.	Ele era	7.	Vocês eram
2.	Tu eras	5.	Ela era	8.	Eles eram
3.	Você era	6.	Nós éramos	9.	Elas eram

B	Pretério imperfeito do indicativo	
	Verbo **ter**	
	(eu)	**tinha**
	(tu)	**tinhas**
	(você, ele, ela)	**tinha**
	(nós)	**tínhamos**
	(vocês, eles, elas)	**tinham**

29

Oralidade 2 📼

1.	Eu tinha	4.	Ele tinha	7.	Vocês tinham
2.	Tu tinhas	5.	Ela tinha	8.	Eles tinham
3.	Você tinha	6.	Nós tínhamos	8.	Elas tinham

C

Pretérito imperfeito do indicativo	
Verbo **vir**	
(eu)	**vinha**
(tu)	**vinhas**
(você, ele, ela)	**vinha**
(nós)	**vínhamos**
(vocês, eles, elas)	**vinham**

Oralidade 3 📼

1.	Eu vinha	4.	Ele vinha	7.	Vocês vinham
2.	Tu vinhas	5.	Ela vinha	8.	Eles vinham
3.	Você vinha	6.	Nós vínhamos	8.	Elas vinham

D

Pretérito imperfeito do indicativo	
Verbo **pôr**	
(eu)	**punha**
(tu)	**punhas**
(você, ele, ela)	**punha**
(nós)	**púnhamos**
(vocês, eles, elas)	**punham**

Oralidade 4 📼

1.	Eu punha	4.	Ele punha	7.	Vocês punham
2.	Tu punhas	5.	Ela punha	8.	Eles punham
3.	Você punha	6.	Nós púnhamos	8.	Elas punham

Apresentação 2

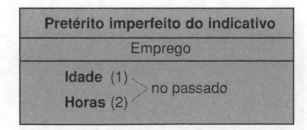

Oralidade 5 📼

1. A mãe da Inês *tinha* **quinze anos** e o pai *tinha* **dezassete** quando se conheceram.

2. *Era* **meia-noite** quando a festa acabou.

Oralidade 6

1. O Nuno, quando _____ (*ser*) pequeno, _____ (*ter*) o cabelo louro e (*ser*) _____ bastante magro.

2. A Inês, pelo contrário,_____ (*ser*) morena, _____ (*ser*) mais gordinha e _____ (*ter*) óculos.

3. Ambos acabaram o secundário quando _____ (*ter*) dezasseis anos.

4. Ela começou a trabalhar, _____ (*ter*) o filho mais velho dez anos. Naquele tempo _____ (*ser*) empregada dos telefones.

5. (*ser*) _____ meia-noite e meia quando chegou a casa. _____ (*estar*) cansadíssimo.

6. Nós _____ (*vir*) sempre de barco, porque na altura não _____ (*haver*) ponte.

7. O Dr. Vilar _____ (*pôr*) sempre o carro na garagem. _____ (*ser*) mais seguro.

8. Nós _____ (*ter*) pouco tempo para a família. Por isso, aos fins-de-semana _____ (*estar*) sempre em casa.

9. Eles _____ (*pôr*) muitos defeitos no trabalho dos colegas e ninguém lhes _____ (*dizer*) nada.

10. Os problemas na firma _____ (*vir*) de trás. A culpa não_____ (*ser*) só dele.

Apresentação 3

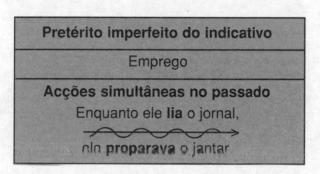

Pretérito imperfeito do indicativo

Emprego

Acções simultâneas no passado
Enquanto ele **lia** o jornal,
ela **preparava** o jantar

Oralidade 7

1. **Enquanto** a avó *via* televisão, *fazia* renda.
2. A avó *via* televisão e, ao **mesmo tempo**, *fazia* renda.

Oralidade 8

Exemplo: ela / ver televisão – ele / trabalhar
Enquanto ela via televisão, ele trabalhava.

1. ele / vestir-se – ela / arranjar / pequeno-almoço

2. Nuno / tirar fotografias – Jorge / fazer / entrevista

3. eu / limpar / casa – meu marido / lavar / carro

4. eles / preparar / bebidas – nós / pôr / mesa

5. ela / estudar – ouvir música

6. tu / estar / telefone – tomar notas

7. orquestra / tocar – ela / dormir

8. nós / tratar / jardim – eles / pintar / garagem

9. eles / ver / jogo – beber cerveja

10. Inês / conversar / Nuno – pais / ver fotografias

Apresentação 4

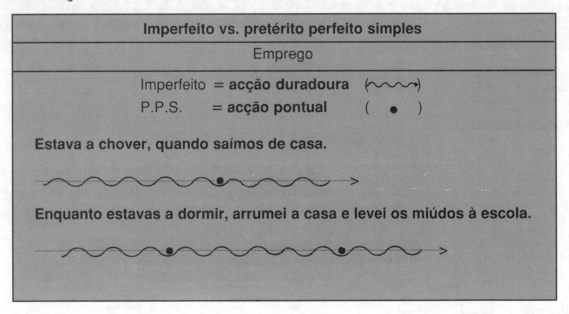

Imperfeito vs. pretérito perfeito simples

Emprego

Imperfeito = **acção duradoura**

P.P.S. = **acção pontual**

Estava a chover, quando saímos de casa.

Enquanto estavas a dormir, arrumei a casa e levei os miúdos à escola.

Oralidade 9

Exemplo: eles / jogar futebol – começar a chover
Eles estavam a jogar futebol, quando começou a chover.

1. Nuno / ler / jornal – telefone / tocar

2. alunos / trabalhar – professora / entrar

3. eles / dormir – avião / levantar voo

4. Inês / falar / telefone – empregada / entrar

_____

5. ela / fazer / jantar – ele / chegar

_____

Oralidade 10 🎞

A	B	C

1.

2.

3.

A — 1. Enquanto _estavas a dormir,_ _____

    2. _fiz o pequeno-almoço para os miúdos_ _____

    3. e _____.

B — 1. Enquanto _____,

    2. _____

    3. e _____.

C — 1. Enquanto _____,

    2. _____

    3. e _____.

Texto

A D. Helena nasceu numa aldeia e aí viveu até aos dezassete anos. Morava com os pais e estudava em Viseu. Todas as manhãs apanhava a camioneta para a cidade e só voltava ao fim do dia, porque depois das aulas dava explicações aos miúdos da primária. Ganhava algum dinheiro que guardava para completar o enxoval — coisa que naquela época era sagrada.

Aos fins-de-semana quebrava-se a monotonia: faziam-se bailaricos, onde tocava a banda da aldeia, e vinha gente de outras terras vizinhas. Num desses fins-de-semana, o Dr. Vilar, que na altura andava num colégio interno também no Norte, e um grupo de amigos resolveram ir a um desses bailes de domingo. Daí resultavam os namoricos entre as meninas da aldeia e os meninos do colégio. Normalmente eram namoros efémeros, mas houve um que se manteve e até deu em casamento: o da D. Helena com o Dr. Afonso Vilar.

 # — Vamos lá escrever!

Compreensão

1. Onde é que fica a terra natal da D. Helena?

2. Quando é que ela tinha aulas?

3. Explique o sentido da frase «coisa que naquela época era sagrada.»

4. Como é que eles se conheceram?

5. Explique por palavras suas o sentido do último período do texto.

Escrita 1

Faça frases com as palavras dadas. Acrescente as preposições e os artigos adequados e conjugue os verbos no **imperfeito**.

> **Exemplo:** escola / ficar / perto /casa / e / ele / ir / escola / colegas
> *A escola ficava perto de casa e ele ia para a escola com os colegas.*

1. quando / Nuno / ser / pequeno / viver / todos / fora / Lisboa

2. hora / recreio / jogar / futebol / pátio

3. depois / aulas / enquanto / mãe / preparar / jantar /Nuno / fazer / trabalhos / casa

4. sábado / tarde / dar / passeio / carro / família

5. domingo / manhã / ir / missa / e / vir / casa / pé

Sumário

Objectivos funcionais

Contrastar acções duradouras com acções pontuais no passado	«Estava a chover quando saímos de casa.»
Dizer a idade no passado	«Tinha a tua mãe quinze anos (…)»
Dizer as horas no passado	«Era meia-noite quando a festa acabou.»
Expressar ironia	«Tinham bailes e tudo!!! Era uma aldeia muito desenvolvida!»
Falar de acções simultâneas no passado	«Enquanto ele lia o jornal, ela preparava o jantar.»

Vocabulário

Substantivos e adjectivos:

o bailarico	a distracção	a monotonia	o recreio
a banda	efémero (adj.)	o namorico	a ronda
o casamento	o enxoval	natal (adj.)	sagrado (adj.)
a cerveja	a esquina	a objecção	seguro (adj.)
o coreto	a explicação	a orquestra	a terra
a culpa	a garagem	o pátio	Viseu
o defeito	gordinho (adj.)	o período	vizinho (adj.)
desenvolvido (adj.)	a marcha	a primária	

Expressões:

dar em dar explicações	fazer { renda um bailarico uma entrevista uma marcha	levantar voo pela noite dentro	pôr { defeitos objecções quebrar a monotonia tomar notas

Verbos:

completar gozar	manter quebrar	resultar	tocar

«(...) para serem pescadores é preciso tirar um curso?»

Áreas gramaticais/Estruturas

Infinitivo pessoal

Advérbios: **antigamente, concretamente, dantes, precisamente**

Locuções prepositivas: **apesar de, no caso de**

Diálogo

Nuno: Muito boa tarde. Nós somos jornalistas e gostávamos de visitar o porto e de fazer algumas perguntas aos pescadores.

Sr. António: Ah! Então é dos senhores que eu estava à espera. Façam o favor de me seguir. Queriam tirar fotografias, não era?

Nuno: Sim, sim.

Jorge: E eu precisava de entrevistar alguns pescadores para completar a reportagem.

Sr. António: Ó Manel! Mostra as instalações aqui aos senhores do continente.

. . . .

Jorge: Apesar de levarem uma vida muito dura, os senhores já são pescadores há muito tempo, não é verdade?

1.° pescador: Olhe, eu tinha sete anos quando comecei a ir para o mar com o meu pai.

2.° pescador: Pois é. Quase todos começámos cedo e depois... É uma coisa que nos está no sangue, sabe.

1.° pescador: É uma vida difícil. Antigamente ainda era pior. Não tínhamos uma frota tão moderna.

2.° pescador: Além disso não havia tanta informação nem tanta instrução como há agora.

Jorge: Quer dizer que hoje em dia para serem pescadores é preciso tirar um curso?

2.° pescador: A gente vai à escola e aprende muita coisa.

1.° pescador: E agora há essas escolas próprias para formação específica.

2.° pescador: Ah pois! Os moços já vão mais bem preparados para o mar. Não é como dantes que não sabíamos nada.

 — Vamos lá falar!

Oralidade 1

Exemplo: A vida no mar é _difícil_, mas antigamente ainda _era mais difícil_. (difícil)

1. A vida no campo é _____ , mas antigamente ainda _____ . (duro)

2. As instalações do porto são_____ , mas antigamente ainda _____ . (bom)

3. As ruas da aldeia estão _____ , mas antigamente ainda_____ . (mau)

4. Eles trabalham _____ , mas antigamente ainda _____ . (muito)

5. A pesca é uma actividade _____ para as ilhas, mas antigamente ainda _____ . (importante)

Oralidade 2 [cassette]

> **Exemplo:** | Dantes não **_havia tanta_** instrução. (_haver_)

1. Dantes as pessoas não _____ preocupações. (_ter_)

2. Antigamente o nível de vida não _____ alto. (_ser_)

3. Há uns anos atrás uma refeição no restaurante não _____ cara. (_sair_)

4. Dantes não se _____ dinheiro. (_gastar_)

5. Antigamente não se _____ em política. (_falar_)

Apresentação 1

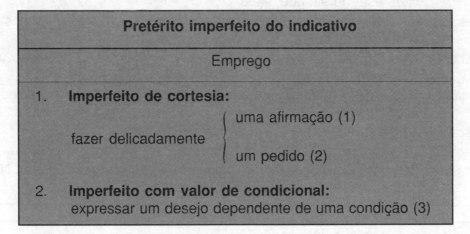

Pretérito imperfeito do indicativo
Emprego
1. **Imperfeito de cortesia:**

fazer delicadamente
  { uma afirmação (1)
  { um pedido (2)

2. **Imperfeito com valor de condicional:**
expressar um desejo dependente de uma condição (3)

Oralidade 3 [cassette]

1. Boa tarde. **Queria** falar com o Dr. Afonso Vilar, por favor.
2. Com certeza. **Podia** dizer-me o seu nome, por favor?
3. O Nuno **gostava** de tirar um curso nos Estados Unidos.

Oralidade 4 [cassette]

> **Exemplo:** | — **_Fazia_**-me uma ligação para o Funchal, por favor?
> | — Com certeza. Faço já.

1. — O que é que te apetece fazer hoje?
   — _____ -me ir ao cinema logo à noite.

2. — Faz favor de dizer.
   — _____ uma bica, por favor.

3. — Com quem deseja falar?
   — _____ com o Dr. Afonso Vilar, se não se importa.

4. — _____ -me as horas, por favor?
— São oito e meia.

5. — _____ de fazer uma reportagem sobre os Açores.
— Porque é que não fazes?

6. — _____ -me o açúcar, por favor?
— Só um minuto. Passo já.

7. — _____ -se de trocar de lugar?
— Não, não. Não me importo nada.

8. — _____ -me aquela revista, se fazes favor?
— Claro. Toma lá.

9. — Preferes sair ou ficar em casa?
— Eu _____ ficar em casa, mas se tu queres sair…

10. — Desculpe. _____ dizer-me onde ficam os Correios?
— Olhe, vai até ao fim desta rua e vira à direita.

Apresentação 2

A

Infinitivo pessoal	
Formação	
(eu)	falar —
(tu)	ir **es**
(você, ele, ela)	ler —
(nós)	ser **mos**
(vocês, eles, elas)	vir **em**

B

Casos		
Expressões impessoais	Preposições	Loc. prepositivas
É melhor (1)	ao (3)	antes de (7)
É preciso (2)	até (4)	apesar de (8)
	para (5)	no caso de (9)
	sem (6)	depois de (10)
…	…	…

Oralidade 5 📼

1. É melhor **levar** o guarda-chuva, porque acho que vai chover.

2. É preciso **ires** ao supermercado que já não há leite.

3. Ao **receber** a notícia, o João ficou contentíssimo.

4. Fiquem na Madeira até **terminarem** a reportagem.

5. Senta-te Nuno, para **falarmos** sobre a tua viagem.

6. Não saiam de casa sem eu **chegar**.

7. Antes de **entrevistarem** os pescadores, estiveram a tirar fotografias ao porto.

8. Apesar de **levar** uma vida dura, o Manel é pescador há muitos anos.

9. No caso de o senhor não **poder** ir, telefone-me.

10. Depois de **acabares** o trabalho, fecha a luz.

Oralidade 6 🔲

> **Exemplo:** É pena não _poder_ vir connosco, pai. (_poder_)

1. Antes de _____ , vem falar comigo. (_sair_)

2. É perigoso _____ banho aqui, meninos. (_tomar_)

3. É necessário _____ a falar sobre este assunto, meus senhores. (_voltar_)

4. Peço-te para não me _____ . (_interromper_)

5. Quero terminar este trabalho antes de _____ os convidados. (_chegar_)

6. Não é muito provável eles _____ o dinheiro. (_achar_)

7. Não vejo razão para o senhor _____ tão irritado. (_ficar_)

8. Não te preocupes que eu espero até _____ . (_acabar_)

9. Depois de _____ bem, decidimos não fechar o negócio. (_pensar_)

10. Não arrumo a casa sem vocês _____ . (_partir_)

Texto

O Nuno e o Jorge estiveram na Madeira a fazer uma reportagem sobre a actividade piscatória da ilha. Enquanto o Nuno tirava fotografias ao porto e aos barcos, o Jorge entrevistava alguns pescadores que por ali andavam a trabalhar.

Além do turismo e da agricultura, a pesca é outro meio de sobrevivência para o madeirense. Um dos peixes mais importantes para a ilha é o Espada Preto. Este peixe encontra-se a grandes profundidades — entre os 800 e 1600 metros de profundidade — e só é possível pescá-lo em dois lugares do mundo: nos mares que rodeiam a Madeira e perto do Japão.

Aliada a esta actividade está outra bem saborosa: a cozinha local. Um dos pratos mais deliciosos e típicos da ilha são precisamente os filetes de peixe espada preto.

— Vamos lá escrever!

Compreensão

1. O que é que o Nuno e o Jorge foram fazer à ilha da Madeira?

2. Qual era concretamente a função de cada um deles?

3. Quais são as actividades mais importantes para o madeirense?

4. Onde é que é possível pescar o peixe espada preto?

5. Porque é que se diz que este é um dos peixes mais importantes para a ilha da Madeira?

Escrita 1

Do substantivo, o adjectivo.

Exemplo:
> fotografias *a cores*
> *fotografias coloridas*

1. porto *de pesca*

2. costume *da Madeira*

3. colégio *de fama*

4. cozinha *da localidade*

5. actividade *de grande importância*

Escrita 2

Do adjectivo, o substantivo.

Exemplo:

> passeio *familiar*
> *passeio com a família*

1. transporte **marítimo**

_____

2. atracção **turística**

_____

3. territórios **insulares**

_____

4. actividade **agrícola**

_____

5. região **portuária**

_____

Escrita 3

Do adjectivo, o substantivo.

Exemplo:

> profundo ⟶ *a profundidade*

1. alto ____>____
2. comprido ____>____
3. largo ____>____
4. delicioso ____>____
5. saboroso ____>____

6. fotográfico ____>____
7. forte ____>____
8. inteligente ____>____
9. fraco ____>____
10. calmo ____>____

Escrita 4

Qual o verbo apropriado?

A	B
abrir	uma reportagem
apanhar	fotografias
atender	às cartas
correr	o telefone
dar	um cheque
dobrar	à campainha
fazer	um duche
jogar	uma constipação
passar	os parabéns
pôr	atenção
prestar	óculos
tirar	**uma excepção**
tocar	a mesa
tomar	o risco
usar	a esquina

1. *abrir uma excepção* _____
2. _____
3. _____
4. _____
5. _____
6. _____
7. _____
8. _____

9. _____
10. _____
11. _____
12. _____
13. _____
14. _____
15. _____

Sumário

Objectivos funcionais

Contrastar factos presentes com factos passados	"É uma vida difícil. Antigamente ainda era pior."
Expressar um desejo dependente de uma condição	"(...) gostávamos de visitar o porto (...)

Fazer delicadamente

- uma afirmação — "Queria falar com o Dr. Afonso Vilar, por favor."
- um pedido — "Podia dizer-me o seu nome, por favor?"

Vocabulário

Substantivos e adjectivos:

a actividade agrícola (adj.)	a fama familiar (adj.).	a luz	a profundidade profundo (adj.)
a agricultura aliado (adj.)	a formação	o madeirense	provável (adj.)
a atracção	a frota	o moço	o risco
a campainha colorido (adj.)	a função	o nível	saboroso (adj.)
a constipação	a instalação	a pesca	a sobrevivência
o continente	a instrução insular (adj.)	o pescador piscatório (adj.)	o território típico (adj.)
o duche	inteligente (adj.)	a política	o turismo turístico (adj.)
o Espada Preto específico (adj.)	irritado (adj.)	o porto portuário (adj.)	
a excepção	o jornalista	o prato	
	a ligação	a preocupação	
	a localidade	preparado	

Expressões:

abrir uma excepção aliado a	fazer uma ligação para	fechar um negócio	levar uma vida

Verbos:

dobrar entrevistar	interromper preocupar-se	prestar rodear	terminar

43

UNIDADE 5

«(...) os pescadores (...) ainda não tinham chegado.»

Áreas gramaticais/Estruturas

Particípios regulares: | **verbos em –ar, – er e –ir**

Pretérito mais-que-perfeito composto do indicativo: | **ter (imperfeito) + particípio passado**

Discurso directo ⟶ Discurso indirecto

Advérbios: | **entretanto, felizmente, oficialmente, primeiramente**
Locuções prepositivas: | **devido a**
Preposições: | **após**

Diálogo

Na redacção do jornal em Lisboa

Nuno: Bom dia, Pedro. Cá estamos de volta.

Chefe de Redacção: Pois é, mas com um dia de atraso em relação à data que tínhamos combinado.

Jorge: Tivemos alguns problemas com as fotografias que já tínhamos tirado no porto de Câmara de Lobos.

Nuno: Como foi necessário repetir parte do trabalho no dia seguinte, só pudemos ir para Porto Santo na terça-feira.

Jorge: Lá, o guarda do porto disse-nos que os pescadores que tinham ficado de falar connosco ainda não tinham chegado. Já tinham ido para o mar e só voltavam de manhã.

Nuno: Entretanto tivemos de adiar o voo de regresso ao Funchal e...

Chefe de Redacção: Pronto, pronto. Estão desculpados. Vamos lá ver esse trabalho. Tem de sair no suplemento da próxima semana.

— Vamos lá falar!

Apresentação 1

A

	Verbos terminados em:		
	–ar	**–er**	**–ir**
Infinitivo	falar	comer	partir
Particípio	fal**ado**	com**ido**	part**ido**

B

Pretérito mais-que-perfeito composto do indicativo
• Forma-se com o imperfeito do auxiliar **ter** e o **particípio passado** do verbo principal.
• Indica uma acção passada, anterior a outra acção também passada.

C

Pretérito mais-que-perfeito composto do indicativo		
(eu)	**tinha**	
(tu)	**tinhas**	**estudado**
(você, ele, ela)	**tinha**	**bebido**
(nós)	**tínhamos**	**ido**
(vocês, eles, elas)	**tinham**	

Oralidade 1 🎧

1. Quando chegaram a Porto Santo, os pescadores já _____ (*ir*) para o mar.

2. O Manuel _____ (*prometer*) ao Nuno que o ajudava.

3. Quando te telefonámos, já _____ (*sair*).

4. Eles já _____ (*terminar*) a reportagem, quando a tempestade começou.

5. Eu _____ (*estudar*) tudo antes de tu chegares.

6. Quando o encontrei, ele _____ (*estar*) bastante doente.

7. A Inês _____ (*perder*) o porta-moedas, mas felizmente encontrou-o.

8. A D. Helena _____ (*deixar*) o jantar pronto antes de sair.

9. Eles já _____ (*partir*) para férias há uma semana.

10. A avó São _____ (*convidar*) uma amiga para ir com ela ao teatro.

Oralidade 2 🎧

Exemplo: Quando eles ***chegaram*** (*chegar*), os pescadores já ***tinham ido*** (*ir*) para o mar.

1. O último autocarro já _____ (*partir*), por isso ela _____ (*ir*) a pé para casa.

2. Como eles ainda não _____ (*acabar*) a reportagem, não _____ (*poder*) vir na data prevista.

3. Quando eu _____ (*encontrar*) o Sr. Manuel, _____ (*lembrar-se*) onde o _____ (*conhecer*).

4. O Dr. Afonso Vilar _____ (*vir*) uma semana mais cedo em relação à data que _____ (*planear*).

5. Como ele já _____ (*telefonar*) para casa e ninguém _____ (*atender*), _____ (*resolver*) apanhar um táxi.

6. O filme que ele nos _____ (*aconselhar*) _____ (*ser*) fraquíssimo.

7. O acidente _____ (*ocorrer*) às oito horas. Antes disso já tu _____ (*fechar*) a loja.

8. Eu já _____ (*perceber*) tudo, quando tu me _____ (*contar*) o que _____ (*acontecer*).

9. Quando o Nuno _____ (*abrir*) a porta, _____ (*ver*) que os pais lhe _____ (*deixar*) um recado em cima da mesa.

10. Os pescadores _____ (*sair*) para o largo quando a tempestade _____ (*começar*).

Apresentação 2

		Discurso directo	Discurso indirecto
Tempos verbais		Presente	Imperfeito
		Pretérito perfeito simples	Pretérito mais-que--perfeito composto
Advérbios	lugar	aqui	ali
		cá	lá
	tempo	ontem	no dia anterior
		hoje	nesse dia/naquele dia
		amanhã	no dia seguinte
		agora	naquele momento
Pessoais Possessivos		1ª e 2ª pessoa	3ª pessoa
Demonstrativos		este / esse	aquele

Oralidade 3 🔲

1. *Inês:* Jorge, a **tua** máquina fotográfica **está aqui**, ao pé de **mim**.

   A Inês *disse* ao Jorge *que* a máquina fotográfica **dele estava ali,** ao pé **dela**.

2. *Nuno:* **Ontem fomos** à Embaixada pedir informações e **amanhã** de manhã **temos** de ir ao Consulado.

   O Nuno *disse que* **no dia anterior tinham ido** à Embaixada pedir informações e *que* **no dia seguinte** de manhã **tinham** de ir ao Consulado.

3. *Jorge:* **Estas** fotografias não **ficaram** boas. **Temos** de lá voltar **hoje** outra vez.

   O Jorge *disse que* **aquelas** fotografias não **tinham ficado** boas. **Tinham** de lá voltar **nesse dia** outra vez.

Oralidade 4 🔲

1. *Nuno:* Chegámos hoje de manhã e estamos cansadíssimos da viagem.

_____

2. *Jorge:* Tive alguns problemas com as fotografias que tirei ontem em Câmara de Lobos.

_____

3. *Nuno e Jorge:* Só na terça-feira é que pudemos ir para Porto Santo.

_____

4. *Guarda do porto:* Os pescadores já foram para o mar e só voltam aqui amanhã de manhã.

5. *Jorge:* Então vamos dar uma volta e aproveitamos para tirar fotografias.

6. *Nuno:* Na quarta-feira conseguimos entrevistar alguns pescadores.

7. *Nuno e Jorge:* Adiámos o voo de regresso ao Funchal. Por isso só chegámos hoje e com um dia de atraso.

8. *Nuno:* Felizmente não houve mais problemas e agora está tudo a correr bem.

9. *Pedro:* Pronto. Estão desculpados. Vamos lá ver esse trabalho.

10. *Pedro:* Tem de sair no suplemento desta semana.

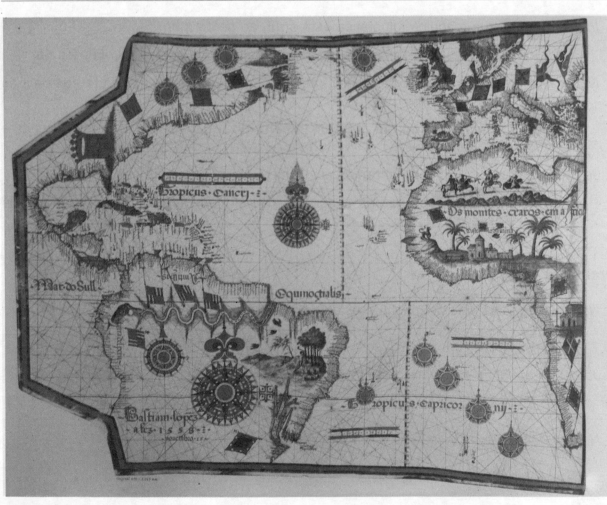

Texto

Há milhões de anos uma erupção vulcânica fez emergir uma ilha no Oceano Atlântico. O seu clima húmido e quente deu origem a uma vegetação luxuriante.

No século XIV, após as viagens de D. Afonso IV, os portugueses tiveram conhecimento da existência da ilha. No entanto, só depois da descoberta oficial por João Gonçalves Zarco e Tristão Vaz Teixeira é que as ilhas se tornaram conhecidas.

Zarco e Vaz Teixeira descobriram primeiramente a ilha de Porto Santo. Os dois navegadores tinham ido dar à costa deste porto de salvação durante uma violenta tempestade em 1418, facto que os levou a baptizarem a ilha com o nome de *Porto Santo*.

Passado um ano navegaram até outra ilha, também ela deserta. Desembarcaram em Machico e deram à sua descoberta o nome de *Ilha da Madeira*, devido às densas florestas que a cobriam. Para poderem cultivar a terra, queimaram todas as árvores e diz-se que a ilha ficou a arder durante sete anos, como uma fogueira no meio do mar.

 — Vamos lá escrever!

Compreensão

1. Como é a Ilha da Madeira?

2. Em que século é que os portugueses tiveram conhecimento da ilha?

3. Quem é que descobriu oficialmente o arquipélago da Madeira?

4. O nome *Porto Santo* dado à ilha foi casual?

5. Em que ano é que os navegadores chegaram à Madeira? O que é que eles lá viram?

Escrita 1

Complete com os verbos dados na forma correcta:

A reportagem _____ (*chegar*) ao fim. Agora, que já_____ (*estar*) tudo pronto e não _____ (*precisar*) de andar a _____ (*correr*) de um lado para o outro, _____ (*lamentar*) ter de _____ (*regressar*) da Madeira._____ (*estar*) lá praticamente durante um mês em que_____(*trabalhar*) bastante,_____ (*ser*) verdade, mas também _____ (*divertir-se*) e _____ (*descansar*):_____ (*juntar*) o útil ao agradável, como se_____ (*dizer*) nestas situações.

Escrita 2

Qual é o antónimo?

> **Exemplo:** | **Embarcaram** no porto de Machico.
> | *Desembarcaram no porto de Machico.*

1. Uma erupção vulcânica fez *imergir* uma ilha no oceano.

   _____

2. O seu clima era *seco* e *frio*.

   _____

3. A vegetação era *escassa*.

   _____

4. A ilha *ainda* era *desconhecida* no século XIII.

   _____

5. Do arquipélago faziam parte duas ilhas *habitadas*.

   _____

Sumário

Objectivos funcionais

Falar de acções que ocorreram
antes de outras já passadas

«Tivemos alguns problemas com as fotografias
que já tínhamos tirado (...)»

Reproduzir indirectamente
um enunciado

«O guarda do porto disse-nos que os pescadores
(...) ainda não tinham chegado.»

Vocabulário

Substantivos e adjectivos:

o arquipélago	desculpado (adj.)	habitado (adj.)	Porto Santo
Câmara de Lobos	deserto (adj.)	húmido (adj.)	a redacção
casual (adj.)	a Embaixada	luxuriante (adj.)	a relação
o clima	a erupção	Machico	a salvação
conhecido (adj.)	escasso (adj.)	o navegador	seco (adj.)
o conhecimento	a existência	o oceano	o suplemento
a costa	o facto	o Oceano Atlântico	a tempestade
o Consulado	a floresta	oficial (adj.)	a vegetação
denso (adj.)	a fogueira	a origem	violento (adj.)
a descoberta	o Funchal	o porta-moedas	vulcânico (adj.)
desconhecido (adj.)	o guarda		

Expressões:

chegar ao fim dar { à costa origem	em relação a fazer parte de	ficar de juntar o útil ao agradável	ter conhecimento tornar conhecido

Verbos:

aconselhar adiar arder baptizar cobrir	cultivar descobrir desembarcar embarcar emergir	imergir juntar lamentar navegar ocorrer	planear prometer queimar repetir tornar

I - Complete com: há / à / ah

1. _____ que pena! Já não _____ tempo para conversarmos. Tenho de ir buscar os miúdos _____ escola. Estão _____ minha espera.

2. _____! Finalmente chegaste. Estou aqui _____ porta _____ mais de vinte minutos. Disseste que vinhas _____ uma hora em ponto.

3. — Vamos _____ praia hoje _____ tarde?
   — Hoje não. _____ um filme óptimo na televisão e _____ muito tempo que o queria ver.
   — _____! Então também fico em casa.

II - Faça frases como no exemplo.

Exemplo: 1. Agora estudamos português. *Dantes estudávamos inglês.*

2. Agora leio o jornal. _____

3. Agora não me divirto tanto. _____

4. Agora vejo televisão. _____ .

5. Agora escrevo poucas cartas. _____ .

6. Agora trabalho numa companhia de seguros. _____

7. Agora vivo na cidade. _____ .

8. Agora não faço desporto. _____ .

9. Agora bebo cerveja. _____ .

10. Agora levanto-me às oito. _____ .

III - Ligue as frases com as palavras entre parênteses. Faça alterações se necessário.

> **Exemplo:** Ele vai ao cinema. Primeiro acaba o trabalho. (*depois de*)
>
> *Ele vai ao cinema, depois de acabar o trabalho.*

1. Não posso ir. Telefono-lhe. (*no caso de*)

   _____ .

2. Primeiro comemos. Depois vamo-nos embora. (*depois de*)

   _____ .

3. Vistam os casacos. Depois saiam. (*antes de*)

   _____ .

4. Primeiro partes. Depois arrumo a casa. (*depois de*)

   _____ .

5. Tome uma bebida. Depois vá. (*antes de*)

   _____ .

IV - Descreva o Sr. Silva quando ele tinha vinte anos e agora, que tem cinquenta anos. Use, para isso, o vocabulário listado:

a	barba		careca	o	fato	os	óculos
o	bigode	o	charuto	a	fita	a	pasta
	branco	o	colar		gordo		preto
o(s)	cabelo(s)		comprido	a	gravata	a	pulseira
o	cachimbo		curto	o	lenço	as	sandálias
as	calças de ganga		escuro		magro	os	sapatos

O Sr. Silva

aos 20 anos   aos 50 anos

V - **Passe o seguinte diálogo para o discurso indirecto. Use, para isso, os verbos introdutórios listados:**

> achar que
> desejar
> dizer que
> perguntar
> responder que

Sr. Mateus: Quando é que voltaste?

Dr. Vilar: Cheguei hoje de manhã. Ainda nem tive tempo para desfazer a mala.

Sr. Mateus: Deves estar cansado, não?

Dr. Vilar: Estou, estou. Estou cansadíssimo. Estas viagens ao estrangeiro são sempre estafantes: os assuntos a resolver são muitos e o tempo é pouco.

Sr. Mateus: Amanhã sou eu que parto em trabalho. Vou até Paris e fico lá uma semana.

Dr. Vilar: Então boa viagem e boa sorte nos negócios.

«(…) toda esta gente tem de ser realojada.»

Áreas gramaticais/Estruturas

Particípios irregulares

Voz Passiva:

ser + particípio passado

Diálogo

Lena: É muito difícil o nosso trabalho aqui no bairro. São pessoas muito pobres, de baixo nível social e que ao primeiro contacto falam connosco com duas pedras na mão.

Teresa: De facto é. Este bairro de lata vai ser completamente destruído a médio prazo e toda esta gente tem de ser realojada.

Lena: E não podemos limitar-nos a dar uma casa aos habitantes das áreas degradadas.

Teresa: Claro que não. O nosso papel é restituir-lhes a dignidade humana. Penso que a Câmara já contratou sociólogos para formarem uma equipa connosco.

Lena: É preciso todo um conjunto de infra-estruturas sociais, tais como mercados, bibliotecas e estabelecimentos de ensino. Não podemos esquecer que as crianças também de certo modo vão ser realojadas.

Teresa: Pois é. Isto implica a construção de jardins de infância, escolas primárias, preparatórias e secundárias.

 — Vamos lá falar!

Apresentação 1

A	Infinito	Particípios irregulares
	abrir	aberto
	cobrir	coberto
	dizer	dito
	escrever	escrito
	fazer	feito
	ganhar	ganho
	gastar	gasto
	limpar	limpo
	pagar	pago
	pôr	posto
	ver	visto
	vir	vindo

B

Voz passiva

- Forma-se com o verbo auxiliar **ser** e o **particípio passado** do verbo principal.

- O agente da passiva é regido pela preposição **por**.

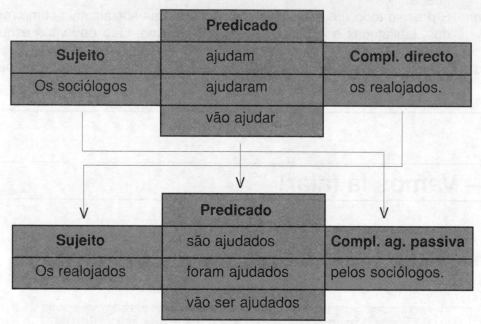

Sujeito	Predicado	Compl. directo
Os sociólogos	ajudam	os realojados.
	ajudaram	
	vão ajudar	

Sujeito	Predicado	Compl. ag. passiva
Os realojados	são ajudados	pelos sociólogos.
	foram ajudados	
	vão ser ajudados	

N.B.: O particípio passado concorda em género e número com o sujeito.

Oralidade 1 🔲

Exemplo:	A Câmara já contratou sociólogos.
	__Sociólogos já foram contratados pela Câmara.__

1. Todos os anos o casal francês aluga a casa.

   _____

2. Uma empresa estrangeira ganhou o 1.º prémio.

   _____

3. O jornalista Jorge Martins escreveu esse artigo.

   _____

4. As assistentes sociais vão ajudar as famílias dos bairros degradados.

   _____

5. A Câmara tem de realojar os habitantes das áreas mais desfavorecidas.

   _____

Oralidade 2 [cassete]

> **Exemplo:** — Foi o senhor que escreveu este livro?
>
> — Sim, sim. *Esse livro foi escrito por mim.*

1. —Foste tu que fizeste o almoço?
—Sim, sim._____

2. —Foi a D. Margarida que abriu o correio, Manuel?
—Sim, sim._____

3. —Foi esta agência que pôs a casa à venda?
—Sim, sim._____

4. —Foi a empresa que pagou o jantar?
—Sim, sim._____

5. —Foram eles que ganharam o jogo?
—Sim, sim._____

6. —Foi o Nuno que tirou as fotografias?
—Sim, sim._____

7. —Fui eu que parti o vidro?
—Sim, sim._____

8. —Foi a senhora que viu as provas?
—Sim, sim._____

9. —Foram vocês que encomendaram as flores?
—Sim, sim._____

10. —Foi o Jorge que entrevistou os pescadores?
—Sim, sim._____

Apresentação 2

Omissão do compl. agente da passiva
• Quando, na voz activa, o **sujeito** é **indeterminado** e não está expresso, na voz passiva é omitido o complemento agente da passiva.

Sujeito	Predicado	Compl. directo
	Vão realojar	as famílias.

Sujeito	Predicado	Compl. ag. passiva
As famílias	vão ser realojadas.	

Oralidade 3 🔲

Exemplo: | Vão destruir os bairros de lata.
Os bairros de lata vão ser destruídos.

1. Realojaram as famílias em bairros sociais.

2. Vão construir mais escolas a curto prazo.

3. Criaram novos espaços verdes para as crianças poderem brincar.

4. Aumentaram os parques infantis e abriram um pavilhão desportivo.

5. Todos os anos fazem um peditório a favor das famílias desalojadas.

Oralidade 4 🔲

Exemplo: | O criminoso foi visto perto da fronteira sul.
Viram o criminoso perto da fronteira sul.

1. A joalharia foi assaltada na noite passada.

2. Estes livros foram postos à venda pelo Instituto.

3. A reunião vai ser feita na primeira semana do próximo mês.

4. Esse semanário é lido por milhões de pessoas.

5. Os desenhos foram pintados pelas crianças da primária.

6. Todos os anos o campeonato é ganho pela mesma equipa.

7. A fábrica vai ser inaugurada pelo Ministro da Indústria.

8. Muitos turistas são atraídos pelo artesanato local.

9. O trabalho foi enviado fora de prazo.

10. As ruas da cidade têm de ser melhoradas pela Câmara.

Texto

Quando era presidente da Câmara de Lisboa, Nuno Abecasis falou, em entrevista ao jornal "Expresso", sobre o projecto do Alto do Lumiar, que confessou ser a sua "grande aventura em Lisboa" e a sua segunda no mundo: "Eu fiz Cahora Bassa", recordou.

O antigo presidente disse que queria acabar com os bairros de lata para não nos envergonharmos — "porque não é quem lá mora que se deve envergonhar" — afirmou.

O autarca referiu ainda que foram chamados sociólogos para trabalhar no projecto, pois não se trata apenas de dar uma casa aos habitantes das zonas degradadas, mas sim restituir-lhes a dignidade humana. "Sabemos também que estamos a criar uma nova urbanização dentro da cidade e que, portanto, devem ser gorados novos postos de trabalho. Assim, a Secretaria de Estado do Trabalho já foi contactada para promover cursos técnicos acelerados no Alto do Lumiar."

Esta é uma obra a longo prazo: estão previstos dezasseis anos de construção.

 # — Vamos lá escrever!

Compreensão

1. O texto fala-nos duma entrevista. Quem foi o entrevistado?

2. Qual foi o tema da entrevista?

3. Identifique e diga onde se situam as duas "grandes aventuras" referidas pelo antigo presidente da Câmara.

4.   O autarca mostrou preocupações de carácter moral? Justifique.

_____

5.   Porque é que a Secretaria de Estado do Trabalho foi contactada?

_____

Escrita 1

Altere as frases seguintes, sem lhes modificar o sentido. Comece como indicado.

1.   "Eu fiz Cahora Bassa", recordou o autarca.

O autarca recordou que _____

_____

2.   A Secretaria de Estado do Trabalho já foi contactada pela Câmara.

A Câmara _____

_____

3.   O antigo presidente da Câmara também chamou sociólogos para trabalharem no projecto.

Sociólogos _____

_____

4.   "Sabemos também que estamos a criar uma nova urbanização dentro da cidade.", afirmou o Eng°. Abecasis.

O engenheiro afirmou que_____

_____

5.   E acrescentou: "Assim, a Secretaria de Estado do Trabalho já foi contactada para promover cursos técnicos acelerados no Alto do Lumiar."

Acrescentou ainda que _____

_____

Escrita 2

Complete o quadro.

	Verbo	Substantivo
1	projectar	
2	entrevistar	
3		a vergonha
4	urbanizar	
5	habitar	
6		o contacto
7	construir	
8		o realojado
9	trabalhar	
10	dignificar	

Sumário

Objectivos funcionais

Concordar

«De facto é.»
«Claro que não.»
«Pois é.»

Enfatizar o objecto

«Este bairro de lata vai ser completamente destruído.»

Vocabulário

Substantivos e adjectivos:

acelerado (adj.)	desalojado (adj.)	a joalharia	o presidente
o Alto do Lumiar	o desenho	longo (adj.)	previsto (adj.)
o artesanato	desfavorecido (adj.)	o mercado	a prova
o autarca	desportivo (adj.)	o modo	o realojado
Cahora Bassa	a dignidade	moral (adj.)	a Secretaria de Estado
o campeonato	o ensino	o papel	do Trabalho
o carácter	o entrevistado	o pavilhão	o semanário
o casal	o espaço	o peditório	o sociólogo
o conjunto	o estabelecimento	pobre (adj.)	o sul
o contacto	a fronteira	o posto	técnico (adj.)
o criminoso	o habitante	o prémio	a urbanização
degradado (adj.)	a infra-estrutura	preparatório (adj.)	

Expressões:

a favor de	com duas pedras na		pôr à venda
bairro de lata	mão	preparatória	tais como
	de certo modo	escola primária	
		secundária	

Verbos:

acrescentar	contratar	gerar	promover
afirmar	destruir	habitar	realojar
assaltar	dignificar	implicar	referir
atrair	encomendar	inaugurar	restituir
aumentar	envergonhar-se	limitar-se	urbanizar
construir	formar	projectar	

«A creche já está informada?»

Áreas gramaticais/Estruturas

Partícula apassivante: | **se**

Voz Passiva: | **estar + particípio passado**

Advérbios: **diariamente, juntamente**

Locuções conjuncionais: **quer… quer**

Diálogo

Lena: Deram-nos bilhetes para levarmos os miúdos da creche ao Jardim Zoológico.

Graça: E também temos entradas para os golfinhos? Ouvi dizer que é muito interessante.

Lena: Temos, temos. Por isso tem de se telefonar para se saber a que dias é que há espectáculo.

Graça: E como é que se combina?

Lena: Aluga-se uma camioneta. Para podermos passar lá a tarde, arranja-se um lanche para as crianças: fazem-se umas sandes e leva-se leite.

Graça: A creche já está informada?

Lena: Sim, já falei com a directora que ficou muito entusiasmada. Está marcada uma reunião para amanhã de manhã com as educadoras de infância.

 — # Vamos lá falar!

Oralidade 1

Exemplo:

> Os bilhetes para o Jardim Zoológico foram-nos oferecidos.
>
> *Ofereceram-nos os bilhetes para o Jardim Zoológico.*

1. A reunião foi marcada para amanhã.

2. A escola tem de ser informada.

3. A directora vai ser contactada ainda hoje.

4. As educadoras também foram convidadas.

5. Tudo foi combinado com antecedência.

6. Os pais das crianças vão ser avisados.

Apresentação 1

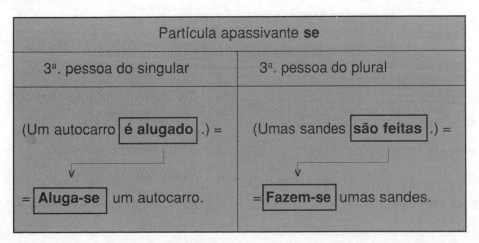

Partícula apassivante **se**	
3ª. pessoa do singular	3ª. pessoa do plural
(Um autocarro **é alugado**.) =	(Umas sandes **são feitas**.) =
= **Aluga-se** um autocarro.	= **Fazem-se** umas sandes.

Oralidade 2 ▣

Exemplo:

> comprar / carros usados
>
> *Compram-se carros usados.*

1. alugar / bicicletas

2. falar / inglês

3. vender / andares

4. comprar / selos

5. fazer / trabalhos à mão

6. servir / refeições

7. dar / informações

8. aceitar / cartões de crédito

9. ensinar / português

10. admitir / motoristas

Apresentação 2

Voz Passiva
Resultado de uma acção
• Forma-se com o verbo auxiliar **estar** e o **particípio passado** do verbo principal.

Ele abriu a porta.

isto é

A porta foi aberta por ele.

resultado

A porta está aberta.

Já informaram a creche.

isto é

A creche já foi informada.

resultado

A creche já está informada.

Oralidade 3 ▣

Exemplo:

> A janela foi fechada.
> Portanto, *a janela está fechada.*

1. O almoço já foi pago.

   Portanto, _____

2. Os exercícios foram todos feitos.

   Portanto, _____

3. O vidro foi partido.

   Portanto, _____

4. Os testes já foram corrigidos.

   Portanto, _____

5. Já foi tudo combinado.

   Portanto, _____

6. As sandes já foram feitas.

   Portanto, _____

Oralidade 4

Exemplo: Fecharam a janela.
Portanto, *a janela está fechada.*

1. Já acabaram as obras.
   Portanto, _____

2. A secretária fez os relatórios.
   Portanto, _____

3. Ele já escreveu a carta.
   Portanto, _____

4. O médico curou o doente.
   Portanto, _____

5. Ela arrumou o quarto.
   Portanto, _____

6. Já puseram a mesa.
   Portanto, _____

Texto

Lisboa tem desde há algum tempo duas novas *estrelas*. Trata-se de um casal de golfinhos de Miami que, juntamente com a sua equipa de tratadores, foi cedido por dois anos ao nosso Jardim Zoológico. Apesar das diferenças climatéricas, a Sissi e o Flipper, assim se chamam os *artistas,* estão já bem adaptados quer à sua nova residência quer aos seus novos vizinhos — as focas — com quem contracenam diariamente num magnífico espectáculo aquático que está a encher as medidas ao público português.

Como se sabe, os golfinhos são dos animais mais inteligentes do nosso planeta. As suas acrobacias atraem sempre grande número de visitantes aos zoos ou aquários e principalmente as crianças ficam deliciadas ao verem as exibições destes mamíferos: dão saltos para o ar, jogam basquetebol e até cantam e dançam para os espectadores.

No entanto, está provado que a vida em cativeiro, para além de não ser muito divertida, pode trazer diversos problemas. De facto, os golfinhos vivem em pequenos tanques e muitas vezes sofrem do coração e de doenças infecciosas.

— Vamos lá escrever!

Compreensão

1. Quem são as duas novas *estrelas* a que o texto se refere e de onde vieram?

2. O texto fala-nos de um espectáculo aquático. Quem é que participa nele?

3. Como está a ser a reacção do público português a esse espectáculo?

4. Que acrobacias é que os golfinhos sabem fazer?

5. Quais podem ser, para estes animais, as consequências da vida em cativeiro?

Escrita 1

Altere as frases seguintes, sem lhes modificar o sentido. Comece como indicado.

1. Um casal de golfinhos foi cedido ao nosso Jardim pelo aquário de Miami.
   O aquário de Miami _____

2. Apesar das diferenças climatéricas, os golfinhos estão já bem adaptados à sua nova residência.
   Apesar do _____

3. As acrobacias dos golfinhos atraem um grande número de visitantes.
   Um grande número de visitantes _____

4. As crianças ficam deliciadas ao verem as exibições destes animais.
   Quando _____

5. A vida em cativeiro pode originar diversos problemas.
   Diversos problemas _____

Escrita 2

Complete o quadro.

	Verbo	Substantivo
1		a atracção
2	exibir	
3	tratar	
4	visitar	
5		o jogo
6	saltar	
7		a canção
8		a dança
9	viver	
10		a adaptação

Sumário

Objectivos funcionais

Enfatizar o objecto	«A reunião foi marcada para amanhã.»
Expressar o resultado de uma acção	«Está marcada uma reunião (...)»
Falar de acções impessoais	«Fazem-se umas sandes e leva-se leite.»

Vocabulário

Substantivos e adjectivos:

a acrobacia	o coração	a exibição	o planeta
a adaptação	a creche	o facto	a reacção
o animal	a dança	a foca	a residência
a antecedência	deliciado (adj.)	o golfinho	o salto
o aquário	a diferença	infeccioso (adj.)	o tanque
aquático (adj.)	diverso (adj.)	o Jardim Zoológico	o tratador
o ar	o doente	magnífico (adj.)	usado (adj.)
a canção	a educadora	o mamífero	o visitante
o cartão de crédito	de infância	Miami	o vizinho
o cativeiro	a entrada	o motorista	
climatérico (adj.)	entusiasmado (adj.)		
a consequência	a estrela		

Expressões:

dar saltos	de facto	encher as medidas a	ouvir dizer

Verbos:

aceitar	ceder	ensinar	originar
admitir	contracenar	exibir	participar
adaptar	curar	informar	saltar
avisar	encher	oferecer	sofrer
cantar			

«Tens andado com um ar cansado.»

UNIDADE 8

Áreas gramaticais/Estruturas

Pretérito perfeito composto do indicativo: | **ter (P.I.) + particípio passado**

Voz passiva: | **ser + particípio passado** (cont.)

Diálogo

Silva: Ultimamente tenho trabalhado de mais. Vê lá tu que passei o fim-de-semana inteiro, aqui no escritório, a pôr coisas em dia.

Vilar: Tens andado com um ar cansado.

Silva: E ando realmente estafado. Mas, e o teu fim-de-semana?

Vilar: Olha, ontem fomos dar uma volta pela Malveira e nem imaginas como apreciei aquele ar puro do campo. O contraste com o ar da cidade é enorme.

Silva: Realmente é. E Lisboa é de longe menos poluída do que a maior parte das capitais europeias.

Vilar: Está defendida pelo grande pulmão que é Monsanto, para além dos pequenos pulmões como é o Campo Grande, em pleno coração de Lisboa.

Silva: Por falar em Monsanto, gostava de levar os miúdos ao novo parque aquático. Aí sim, as pessoas divertem-se longe do barulho e da poluição.

Vilar: E fazia-te muito bem!

 # — Vamos lá falar!

Oralidade 1

Exemplo: A porta está aberta.
Quem é que a abriu?

1. O chão está todo sujo.

   _____ ?

2. As luzes estão apagadas.

   _____ ?

3. O jantar já está feito.

   _____ ?

4. Os testes estão corrigidos.

   _____ ?

5. A máquina já está arranjada.

6. O quadro da sala 5 está limpo.

   _____ ?

7. A conta está paga.

   _____ ?

8. O carro está lavado.

   _____ ?

9. Os livros já estão encomendados.

   _____ ?

10. A casa está toda arrumada.

   _____ ?

Oralidade 2

Exemplo: Lisboa *está defendida* pelo grande pulmão que é Monsanto. *(defender)*

1. O novo parque aquático da cidade já _____ ao público. *(abrir)*

2. As salas _____ para trezentos congressistas. *(preparar)*

3. A tradução _____ e até já _____ à máquina. *(fazer, escrever)*

4. Os computadores ainda não _____ porque acabaram de chegar. *(ligar)*

5. A conta da electricidade tem de _____ até ao fim do mês. *(pagar)*

Apresentação 1

A	Pretérito perfeito composto do indicativo
	• Forma-se com o presente do indicativo do auxiliar **ter** e o **particípio passado** do verbo principal.
	• Indica uma acção que teve início no passado e se prolonga até ao presente.

B	Pretérito perfeito composto do indicativo		
(eu)	**tenho**		
(tu)	**tens**	**falado**	
(você, ele, ela)	**tem**	**lido**	
(nós)	**temos**	**ido**	
(vocês, eles, elas)	**têm**		

Oralidade 3

1. *Ultimamente* **tenho trabalhado** de mais. Estou estafado.

2. *Nestes últimos tempos*, o número de turistas no nosso país **tem aumentado.**

3. *Desde que* a escola abriu, **têm tido** muitas inscrições.

Oralidade 4

Exemplo:	Nestes últimos dias, o tempo *__tem estado__* péssimo. (*estar*)

1. Este ano nós _____ mais que no ano passado. (*estudar*)

2. A Inês _____ de cama e não _____ ir à faculdade. (*estar, poder*)

3. Nestes últimos anos _____ muitas revistas femininas em Portugal. (*aparecer*)

4. Ultimamente _____ falta de leite nos supermercados. (*haver*)

5. Com o calor que _____ , eles _____ todos os dias à praia. (*fazer, ir*)

Oralidade 5 📼

Exemplo:

— ***Tens feito*** muitas reportagens, Nuno? *(fazer)*

— Não. Ultimamente ***tenho andado*** a recolher informações. *(andar)*

1. — _____ a nova série da televisão, Nuno? *(ver)*

   — Não. _____ tardíssimo a casa. *(chegar)*

2. — Estás mais gorda, Inês. Não _____ cuidado. *(ter)*

   — Pois não. _____ com tanto apetite que já engordei quatro quilos. *(andar)*

3. — Porque é que a Teresa não _____ à faculdade? *(ir)*

   — Olha, acho que _____ doente. *(estar)*

4. — Ultimamente nós não _____ ao cinema. Queres ir hoje? *(ir)*

   — Hoje não. _____ imenso trabalho e _____ estafado. *(ter, andar)*

5. — Então, _____ com o Jorge? *(falar)*

   — Não. Ultimamente não o _____ . Acho que foi para os Açores, desta vez. *(encontrar)*

Apresentação 2

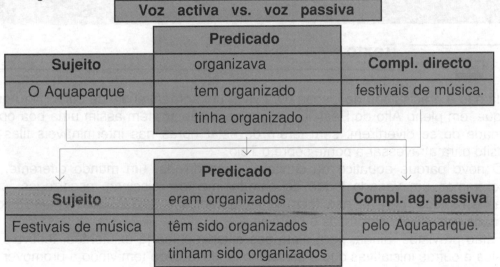

Voz activa vs. voz passiva

Sujeito	Predicado	Compl. directo
O Aquaparque	organizava	festivais de música.
	tem organizado	
	tinha organizado	

Sujeito	Predicado	Compl. ag. passiva
Festivais de música	eram organizados	pelo Aquaparque.
	têm sido organizados	
	tinham sido organizados	

Oralidade 6 📼

1. Antigamente as mulheres faziam o trabalho menos especializado.

   _____

2. O espectáculo atraía muitos turistas.

   _____

3. A empresa do Dr. Vilar tem admitido muitos jovens.

   _____

4. O Jorge tem escrito vários artigos sobre as ilhas.

   _____

5.　　O Nuno tinha tirado as fotografias.

6.　　O Chefe de Redacção tinha adiado a reunião para o dia seguinte.

Texto

Já não é preciso sair de Lisboa para viver um agradável dia de calor. No Aqua-parque, em pleno Alto do Restelo, os jovens, e não só, têm assim uma boa opor-tunidade de se divertirem, sem terem de estar horas nas intermináveis filas de trânsito para atravessar a ponte sobre o Tejo.

O novo parque aquático da capital é, sem dúvida, um mundo diferente. Ali encontramos um variado leque de entretenimentos: piscinas, escorregas, cas-catas e rápidos, para já não falar de restaurantes e esplanadas. E tudo isto é animado com jogos, surpresas e prémios.

Estão previstos, ainda, para além dos divertimentos já existentes, festivais de música e outras iniciativas que o Ministério da Juventude tem vindo a promover.

 — Vamos lá escrever!

Compreensão

1.　　O que é o Aquaparque?

2.　　Há muitos em Lisboa?

3. Qual é a vantagem da localização do Aquaparque?

_____

4. Que tipo de entretenimentos é que se podem encontrar lá?

_____

5. Qual tem sido a participação do Ministério da Juventude?

_____

Escrita 1

Construa frases com as palavras dadas. Siga a ordem indicada, ponha o verbo no tempo correcto e faça as concordâncias necessárias.

Exemplo: novo / parque / aquático / abrir / público
O novo parque aquático está aberto ao público.

1. jovens / divertir-se / imenso / ultimamente

_____

2. antigamente / pessoas / ter / outro / distracções

_____

3. dias / calor / pessoas / gostar / ir / praia / ou / piscina

_____

4. festivais / música / ir / organizar / por / Ministério da Juventude / próximo / mês

_____

5. ontem / eles / passar / tarde / parque / aquático / Monsanto

_____

Escrita 2

Do substantivo, o adjectivo.

Exemplo: a surpresa ——> *surpreendente*

1. a água ——> _____
2. o calor ——> _____
3. a diferença ——> _____
4. o divertimento ——> _____
5. o agrado ——> _____

Escrita 3

Complete o quadro.

	Verbo	Substantivo
1		a saída
2	entreter-se	
3	escorregar	
4	surpreender	
5		a promoção

Sumário

Objectivos funcionais

Concordar	«Realmente é.»
Expressar satisfação	«Aí sim, as pessoas divertem-se(...)»
Expressar surpresa	«(...) nem imaginas como apreciei aquele ar puro do campo.»
Expressar um desejo	«(...) gostava de levar os miúdos ao novo parque aquático.»
Falar de acções passadas que se prolongam até ao presente	«Ultimamente tenho trabalhado de mais.»
Recomendar	«(...)fazia-te muito bem!»

Vocabulário

Substantivos e adjectivos:

o agrado
o Alto do Restelo
o apetite
o Campo Grande
a capital
a cascata
o computador
o congressista
o contraste
o divertimento
a electricidade
o entretenimento

o escorrega
especializado (adj.)
a esplanada
estafado (adj.)
europeu (adj.)
existente (adj.)
feminino (adj.)
o festival
a fila
a iniciativa
a inscrição
interminável (adj.)

o leque
limpo (adj.)
a localização
a luz
a Malveira
o Ministério da Juventude
Monsanto
a participação
pleno (adj.)
a poluição
poluído (adj.)

a promoção
o pulmão
puro (adj.)
o rápido
a série
surpreendente (adj.)
a surpresa
a tradução
o trânsito
o turista
a vantagem

Expressões:

de longe fazer calor	em pleno pôr em dia	escrever à máquina	recolher informações

Verbos:

animar apagar aparecer	apreciar defender engordar	entreter-se escorregar imaginar	prever recolher surpreender

«O teu trabalho tem-te absorvido quase 24 horas por dia.»

Áreas gramaticais/Estruturas

Colocação dos pronomes

Preposições: **sob**

Diálogo

Dr. Vilar: Hoje estou cansadíssimo. Creio que estou a precisar de umas férias, pelo menos um fim-de-semana fora da cidade.

D. Helena: Tens de ter cuidado, Afonso. O médico já te disse que tens de descansar mais e abrandar o ritmo de trabalho. Além disso, tens dedicado muito pouco tempo à família desde que aceitaste esse novo cargo.

Dr. Vilar: Olha quem fala! O teu trabalho tem-te absorvido quase 24 horas por dia!

D. Helena: Que exagero! Mas eu sou diferente. Posso andar deprimida durante uns dias, mas depois de uma boa noite de sono fico fresca como uma alface. Tu, não. Ficas irritado, com dores de cabeça e perdes sempre o sono, o que é péssimo.

Dr. Vilar: Enfim! São os problemas da vida moderna.

— Vamos lá falar!

Oralidade 1

Exemplo: Eles não _têm visto_ o Jorge no café. (*ver*)

1. Ultimamente o Dr. Vilar_____ pouco tempo à família. (*dedicar*)

2. Lá no escritório_____ muitos problemas. (*haver*)

3. _____ a fazer arrumações desde que mudei de casa. (*andar*)

4. Nós não _____ a Inês lá na Faculdade. (*ver*)

5. O médico acha que tu_____ de mais. (*trabalhar*)

Oralidade 2

Exemplo: Perdes sempre o sono, _o que é péssimo._ (*péssimo*)

1. Eles dão-se muito bem,_____. (*óptimo*)

2. O Dr. Vilar resolveu passar fora o fim-de-semana,_____. (*boa ideia*)

3. Ele está sempre a discutir com os colegas,_____. (*aborrecido*)

4. Temos falta de espaço lá no escritório,_____. (*problema*)

5. O Ministério da Juventude aumentou as regalias do cartão jovem,_____. (*fantástico*)

Apresentação 1

Colocação dos pronomes

• Quando o verbo principal está no **particípio passado,** o pronome coloca-se antes ou depois do auxiliar, consoante a regra.*

Ultimamente eles **têm-*se* visto** bastante.
Ultimamente eles **não *se* têm visto.**

---

*N.B.: ver *Português Sem Fronteiras* 1, Unidade 6

Oralidade 3 ▭

1.   Desde que o Nuno veio da Suécia, **têm-*se* encontrado** quase todos os dias.

2.   Quando ela chegou, **já** ele ***nos* tinha contado** tudo.

3.   **Nunca *me* tinha divertido** tanto como hoje.

4.   **Todos *lhe* têm dado** os parabéns pela promoção.

5.   Ele quis saber **porque é que** tu *te* **tinhas perdido**.

6.   Os bilhetes **foram-*nos* oferecidos**.

Oralidade 4 ▭

Exemplo: | O advogado _____ telefonou-*te* hoje de manhã. *(te)*

1.   Ninguém _____ tinha _____ dito que ela _____ tinha _____ mudado para o estrangeiro. (*me, se*)

2.   Desde que ela foi para Cascais, eles _____ têm _____ visto todos os dias. (*se*)

3.   Essas informações já _____ foram _____ dadas ontem. (*te*)

4.   Nestes últimos dias a Inês _____ tem _____ deitado tardíssimo. (*se*)

5.   Ninguém _____ tinha _____ falado nesse problema.   (*lhe*)

6.   A Ana _____ foi _____ apresentada na tua festa de anos. (*me*)

7.   Todos _____ sentaram _____ à mesa para jantar. (*se*)

8.   Eles _____ contaram _____ tudo antes de chegares. (*nos*)

9.   No domingo passado foram ao Aquaparque e _____ divertiram _____ imenso. (*se*)

10.   Enquanto o Nuno esteve na Suécia, os pais _____ escreviam _____ e também _____ mandavam _____ dinheiro. (*lhe*)

Texto

O *stress* tem sido uma das doenças mais faladas do século XX. Numa sociedade cada vez mais competitiva, em que todos exigem muito de si próprios e dos outros, as pessoas vivem sob tensão. Sabe-se que um grande número de doenças, tais como hipertensão, diabetes, úlceras e depressões nervosas são causadas pelo *stress.*

A maneira como o trabalho afecta o nosso modo de vida é muito importante. A maior parte das pessoas passa mais tempo no emprego do que em casa, com a família. Na verdade, passamos cerca de 100.000 horas da nossa vida no local de trabalho.

Quando o trabalho é particularmente causador de *stress*, há alguns factores que devem ser considerados. Por exemplo, melhorar a iluminação, reduzir o barulho e a confusão, (re)decorar o local de trabalho.

Contudo, é bom procurar soluções para aliviar ou, até mesmo, evitar o *stress*. Passatempos, férias e desporto são formas saudáveis de descontracção que ajudam as pessoas a distrair a mente e a ver os problemas de outra maneira.

— Vamos lá escrever!

Compreensão

1.   Porque é que se diz que o *stress* é uma doença do século XX?

2.   Que doenças é que podem ser causadas pelo *stress*?

3.   Porque é que é importante a maneira como o trabalho afecta o nosso modo de vida?

4.   O que é que, no ambiente de trabalho, pode provocar o *stress*?

5.   Na sua opinião, o que é que se pode fazer para evitar o *stress*?

Escrita 1 🔲

Altere as seguintes frases, sem lhes modificar o sentido. Comece como indicado.

1. Um grande número de doenças é originado pelo *stress*.
   O *stress* _____

2. A maneira como o trabalho afecta o nosso modo de vida é muito importante.
   A maneira como o nosso modo de vida _____

3. Passamos cerca de 100.000 horas da nossa vida no local de trabalho.
   Cerca de 100.000 horas da nossa vida _____

4. Muitas vezes o trabalho é particularmente causador de *stress*.
   Muitas vezes o *stress* _____

5. As pessoas, quando estão descontraídas, vêem os problemas de outra maneira.
   Os problemas _____

Escrita 2 🔲

Faça perguntas para obter como resposta o que está sublinhado.

Exemplo: O *stress* é uma das doenças do século XX.
O que é o stress?

1. Numa sociedade cada vez mais competitiva as pessoas vivem sob tensão.
   _____?

2. Hipertensão, diabetes, úlceras e depressões nervosas são causados pelo *stress*.
   _____?

3. A maior parte das pessoas passa mais tempo no emprego.
   _____?

4. Passamos cerca de 100.000 horas da nossa vida no local de trabalho.
   _____?

5. As pessoas afectadas pelo *stress* devem encontrar formas de descontracção e distracção.
   _____?

Escrita 3 🔲

Complete com:

andado gordo queria	casa há *stress*	chega ninguém tem	desporto por isso tenho	durmo pratica ver

O meu pai, que já está na _____ dos cinquenta, tem _____ muito cansado ultimamente. Tem um bom emprego e muita responsabilidade e, _____ , tem trabalhado imenso. Está _____ , fuma muito e não _____ desporto. Quando _____ a casa, está irritado e nervoso e não fala com _____ . Senta-se no sofá a _____ televisão. Eu não _____ ficar como ele. Acho que o ambiente de trabalho _____ muita influência, mas _____ coisas que podemos fazer para evitar o _____ .

Assim, além de fazer _____ , não fumo, _____ oito horas por dia e _____ uma alimentação saudável.

Sumário

Objectivos funcionais

Avaliar situações	«Perdes sempre o sono, o que é péssimo.»
Expressar exagero	«Que exagero!»
Expressar indignação	«Olha quem fala!»
Expressar resignação	«Enfim! São os problemas da vida moderna.»

Vocabulário

Substantivos e adjectivos:

aborrecido (adj.) a alimentação o cargo o cartão-jovem o causador competitivo (adj.) a confusão a depressão nervosa	deprimido (adj.) a descontracção descontraído (adj.) os diabetes o espaço o exagero o factor a falta	fantástico (adj.) a forma a hipertensão a iluminação a influência a mente nervoso (adj.) o passatempo	a promoção a regalia a responsabilidade saudável (adj.) a solução o stress a tensão a úlcera

Expressões:

cada vez mais Enfim!	falta de fresco como uma alface	Olha quem fala! pelo menos	Que exagero!

Verbos:

abrandar absorver afectar aliviar	causar crer decorar discutir	distrair evitar procurar	provocar reduzir

Áreas gramaticais/Estruturas

Os verbos dever e poder

Os verbos estar, andar e ficar + adjectivo

Advérbios: **consequentemente, finalmente, humanamente, provavelmente**

Diálogo

Inês: É impossível ter aulas nesta sala. O barulho da rua é tanto que não me consigo concentrar.

Ricardo: Eu também já não posso mais! Acho que devíamos dizer isso ao professor para ele tentar mudar de sala.

João: O problema é que vamos ter outro exame já amanhã e fico nervoso só de pensar na confusão de trânsito e buzinas que há nesta avenida.

Inês: Está provado que os níveis de ruído, na cidade de Lisboa, se estão a aproximar dos limites humanamente consentidos.

Ricardo: E nós, estudantes, ficamos prejudicados. Estamos em época de exames, andamos todos cansadíssimos e, ainda por cima, temos que aguentar este barulho ensurdecedor.

João: O pior é que a nossa saúde pode ser afectada.

— Vamos lá falar!

Apresentação 1

Auxiliares de modalidade		
Verbos	Significados	Exemplos
poder	Autorização	— **Posso** usar a sua caneta? — **Pode, pode.**
	Proibição	O senhor não **pode** estacionar o carro em cima do passeio.
	Possibilidade/oportunidade	Hoje não **posso** ir almoçar com vocês, mas amanhã já **posso.**
	Capacidade	Não sei como é que **podes** comer tanto!
dever	Obrigação	— **Deve**-se evitar o barulho. — Pois é. **Devíamos** ter mais cuidado.
	Probabilidade	A esta hora não **deve** haver salas livres.

Oralidade 1

1. O Sr. Silva tem tido muito trabalho. Só agora é que _____ tirar uns dias de férias.

2. Estive o dia todo em pé. Já não _____ mais.

3. O Jorge nunca mais chega. _____ ter-se atrasado.

4. A saúde _____ ser afectada pelo ruído.

5. Um jornalista _____ ter muita cultura geral.

6. _____ haver engano na morada. A carta foi devolvida.

7. Não se _____ fumar nos transportes públicos.

8. A Inês perguntou ao pai se _____ levar o carro durante o fim-de-semana.

9. Sempre que há um roubo, _____ -se informar a polícia.

10. As pessoas _____ ter mais cuidado com a saúde.

Apresentação 2

estar, andar e ficar + adjectivo		
Estado	• num determinado momento	estar + adjectivo (1)
	• durante um determinado período	andar + adjectivo (2)
Mudança de estado		ficar + adjectivo (3)

Oralidade 2

1. O Dr. Vilar teve hoje imenso trabalho. **Está** muito **cansado.**

2. Felizmente que a época de exames está a acabar. A Inês **anda** muito **cansada.**

3. Depois da aula de aeróbica, a D. Helena **fica** sempre muito **cansada.**

Oralidade 3

1. Ela _____ muito bem-disposta. Falou-se no acidente e _____ logo triste.

2. Tu hoje não _____ nada bem. _____ doente?

3. Ultimamente o tempo _____ muito incerto: ora chove ora faz sol.

4. O Dr. Vilar _____ irritado quando os empregados chegam atrasados.

5. O João _____ muito contente ultimamente.

6. Ele _____ aborrecido sempre que se fala no nome dela.

Texto

A cidade de Lisboa é demasiado barulhenta. Actualmente os bairros lisboetas estão longe de ser considerados silenciosos devido ao intenso tráfego automóvel. Consequentemente os níveis de ruído aproximam-se já dos limites humanamente consentidos.

Em certas zonas da capital e a determinadas horas, o ruído ultrapassa mesmo o que o ser humano pode consentir em termos de saúde, facto que está a preocupar a Direcção dos Serviços da Qualidade do Ar e do Ruído, dependentes da Direcção-Geral do Ambiente.

Segundo um estudo elaborado em Lisboa, ficou provado que a Estrada da Luz é uma das áreas mais ruidosas onde, na hora de ponta da manhã (das 8:00 às 9:30), o ruído chega a atingir os 81,7 decibéis.

Uma vez que, como se sabe, níveis de ruído superiores a 80 decibéis podem afectar a saúde, a poluição sonora é neste momento um assunto prioritário para a Secretaria de Estado do Ambiente.

 # — Vamos lá escrever!

Compreensão

1. O que é que torna a cidade de Lisboa tão barulhenta?

2. O que é que daí resulta?

3. O que é que está a preocupar a Direcção dos Serviços da Qualidade do Ar e do Ruído?

4. Qual é a zona mais ruidosa da capital?

5. A partir de que níveis é que a saúde humana pode ser afectada?

Escrita 1

Complete as seguintes frases de acordo com o texto.

1. Lisboa é uma _____

2. Actualmente os bairros lisboetas não _____
    _____ porque o tráfego _____

3. A Direcção dos Serviços da Qualidade do Ar e do Ruído está _____
    _____ porque em determinadas horas
    _____

4. Provou-se que uma das áreas _____
    _____ onde, entre as 8:00 e as 9:30 da manhã,
    _____

5. A partir dos 80 decibéis _____
    _____

Escrita 2

Transforme as frases de forma a utilizar os auxiliares de modalidade **poder** e **dever**.

1. Não **sou capaz de** estar mais tempo de pé. Vou sentar-me um bocado.
    _____

2. Em Portugal **é proibido** fumar em recintos fechados.
    _____

3. Finalmente o Sr. Silva vai **ter oportunidade de** tirar uns dias de férias.
    _____

4. **Provavelmente** o avião chega atrasado. Houve um acidente na pista.
    _____

5. **Há possibilidade de** a saúde humana ser afectada com níveis de ruído superiores a 80 decibéis.
    _____

6. A Direcção-Geral do Ambiente **tem por obrigação** tomar medidas para reduzir a poluição sonora.
    _____

Escrita 3

Complete o quadro.

	Substantivo	Adjectivo
1	o barulho	
2	a intensidade	
3		saudável
4	o silêncio	
5		ruidoso
6	o som	
7	a prioridade	
8		poluído
9	a capacidade	
10		possível

Sumário

Objectivos funcionais

Considerar um facto
  como impossível

«É impossível ter aulas nesta sala.»

Considerar um facto
  como possível

«(...) a nossa saúde pode ser afectada.»

Expressar obrigação

«(...) devíamos dizer isso ao professor (...)»

Vocabulário

Substantivos e adjectivos:

a aeróbica
  barulhento (adj.)
  bem-disposto (adj.)
a buzina
a capacidade
  capaz (adj.)
a confusão
o cuidado
a cultura
o decibel
a Direcção-Geral
  do Ambiente
	a Direcção dos
	  Serviços da
	  Qualidade do Ar
	  e do Ruído
	  ensurdecedor (adj.)
	a Estrada da Luz
	  impossível (adj.)
	  incerto (adj.)
	a intensidade
	  intenso (adj.)
	o limite
		lisboeta (adj.)
		a obrigação
		a pista
		a polícia
		a possibilidade
		  prejudicado (adj.)
		a prioridade
		  prioritário (adj.)
		o recinto
		o roubo
		o ruído
			ruidoso (adj.)
			a saúde
			a Secretaria de
			  Estado do Ambiente
			o ser humano
			o silêncio
			  silencioso (adj.)
			o som
			  sonoro (adj.)
			  superior (adj.)

Expressões:

a hora de ponta elaborar um estudo em termos de	haver possibilidade de Já não posso mais! mudar de	ser capaz de ter por obrigação	tirar férias tomar medidas

Verbos:

aguentar aproximar-se (de) atingir	atrasar-se concontrar-se consentir	devolver elaborar proibir	tornar ultrapassar

89

I - Ponha as seguintes frases na voz passiva:

1. O Ministério da Juventude **promove** iniciativas de interesse para os jovens.

2. Todos os jornais **publicaram** a notícia.

3. O Dr. Vilar **atendia** os clientes da parte da tarde.

4. A poluição sonora **tem afectado** a saúde das pessoas.

5. As assistentes sociais já **tinham contactado** as escolas.

6. O Jardim Zoológico **vai adquirir** um novo casal de golfinhos.

II - Faça frases na voz passiva com os auxiliares *ser* e *estar*.

Exemplo: Já pagaram a conta, isto é, *a conta já foi paga*; portanto *a conta já está paga*.

1. Já aprovaram o projecto, isto é,_____ ;
portanto_____ .

2. Já limparam os vidros da janela, isto é,_____ ;
portanto_____ .

3. Já informaram o jornal, isto é,_____ ;
portanto_____ .

4. Já puseram a mesa para o jantar, isto é, _____ ;
portanto_____ .

5. Já assinaram os documentos, isto é,_____ ;
portanto_____ .

III - Transforme as seguintes frases de acordo com o exemplo dado:

> Exemplo: | Todos os documentos foram perdidos.
> *Perderam-se todos os documentos.*

1. A notícia foi publicada em todos os jornais.
   publico-se a notícia

2. Antigamente muitos bailaricos eram feitos na aldeia.
   Fazeva-se muitos bailaricos

3. Os clientes são atendidos às 15:00.
   atende-se os clientes

4. As facturas já foram enviadas.
   envio-se as facturas

5. O português é falado nos cinco continentes.
   fala-se português nos cinco continentes

IV - Transforme as frases de forma a utilizar os auxiliares de modalidade *poder* e *dever*.

1. A avó não **é capaz de** estar muito tempo de pé. Fica muito cansada.
   não pode estar

2. O senhor não **tem autorização para** estar aqui. Esta sala é só para empregados.
   não pode/deve

3. O Dr. Vilar tem uma reunião às 17:00. **Provavelmente** não chega a casa antes das 21:00.
   devria chegar a casa depois das 21
   não podra chegar a casa

4. Não sei se **tenho possibilidade de** sair contigo amanhã.
   posso

5. Todos **temos por obrigação** defender o meio ambiente.
   devemos

V - Complete com as formas correctas dos verbos *estar, andar* e *ficar*:

1. Não se pode falar no avô, porque a avó São _fica_ logo triste.

2. Não posso beber café, porque hoje já _ando_ muito nervoso.

3. O Nuno _fica_ contentíssimo quando soube que tinha ganho um prémio com a reportagem.

4. Ultimamente a D. Helena tem _ido_ muito preocupada com a mãe.

5. Quando cheguei a casa _____ muito cansada, mas agora já me sinto melhor.

«(...) haverá um debate em que (...) me irão pôr várias questões.»

Áreas gramaticais/Estruturas

Futuro imperfeito do indicativo: | verbos regulares |

Relativos invariáveis: | que, quem, onde |

Diálogo

Inês: Olá, Guida. Desculpa lá o atraso. Já estás há muito tempo à espera?

Guida: Não, também só cheguei há cinco minutos. Estive na Biblioteca Nacional a recolher informações sobre os Descobrimentos Portugueses.

Inês: Ah! É verdade! Participaste numa das viagens do Creoula, não foi?

Guida: Sim, foi interessantíssimo! O grupo de que eu fazia parte tinha cerca de cinquenta estudantes vindos de todas as partes de Portugal: do Minho ao Algarve, regiões autónomas e Macau.

Inês: E correu tudo bem?

Guida: Não podia ter sido melhor. Fomos integrados na tripulação e aprendemos imenso sobre o que é a vida a bordo de um navio, quais os processos e como utilizar os instrumentos de orientação. Além disso, houve recepções em todos os portos em que atracámos e onde contactámos com os jovens dessas localidades.

Inês: Estás a preparar um trabalho para a faculdade sobre esse assunto, não é?

Guida: Sim, sim. Terei de apresentá-lo daqui a duas semanas. Depois da minha exposição haverá um debate em que a professora e os meus colegas me irão pôr várias questões.

— Vamos lá falar!

Apresentação 1

Futuro imperfeito do indicativo	
Verbos regulares	
(eu)	ficar **ei**
(tu)	comer **ás**
(você, ele, ela)	abrir **á**
(nós)	falar **emos**
(vocês, eles, elas)	voltar **ão**

Oralidade 1

1. **Terei** muito gosto em recebê-los amanhã.

2. Ainda **voltarás** ao escritório esta tarde?.

3. O avião **partirá** às 18:00 e **chegará** duas horas depois.

4. A D. Helena **estará** cá por volta das 10:00.

5. **Aceitaremos** todas as sugestões.

6. Eles **serão** contactados ainda hoje.

Oralidade 2 📼

1. Da próxima vez, o Dr. Vilar _Terá_ mais cuidado e _dará_ mais atenção ao que o médico lhe diz. (*ter, dar*)
2. O Nuno e o Jorge _passarão_ um mês inteiro nos Açores. Desta vez, _será_ uma reportagem sobre aquele arquipélago. (*passar, ser*).
3. _Terei_ de apresentar o meu trabalho sobre os descobrimentos até ao fim do mês. Depois _haverá_ um debate com o professor e os meus colegas. (*ter, haver*)
4. Na próxima semana, o senhor _irá_ de avião até ao Porto. De lá _seguirá_ de camioneta para Viseu. (*ir, seguir*)
5. Nós só lhe _poderemos_ dar essa informação amanhã. _Voltaremos_ a falar nessa altura. (*poder, voltar*).

Oralidade 3 📼

> **Exemplo:**
> Mais de mil jovens **vão participar** nas comemorações dos Descobrimentos Portugueses.
>
> *Mais de mil jovens participarão nas comemorações dos Descobrimentos Portugueses.*

1. O navio Creoula **vai realizar** mais duas viagens.

    _____

2. Estas viagens **vão estar** integradas nas comemorações dos Descobrimentos Portugueses.

    _____

3. O Ministério da Educação **vai dar** apoio a esta iniciativa.

    _____

4. **Vai ser** uma experiência interessante para os jovens portugueses.

    _____

5. Eles **vão contactar** com outras culturas.

    _____

Oralidade 4 📼

A Guida estava a conversar com a Joana sobre a viagem qua ia fazer no Creoula.

Guida: **Há-de ser** / _Será_ ⟩ uma experiência muito interessante.

Hei-de conhecer / _Conhecerei_ ⟩ outros costumes e outras culturas.

Joana: Sim, e ⟨ **hás-de aprender** / _aprenderás_ ⟩ muito sobre a vida a bordo.

Guida: **Há-de haver** / _haverá_ ⟩ recepções nos vários portos por onde vamos passar

e ⟨ **hei-de tirar** / _tirarei_ ⟩ muitas fotografias.

Joana: Acho que vocês nunca ⟨ **hão-de esquecer** / _esquecerão_ ⟩ essa viagem.

Havemos de voltar / _Voltaremos_ ⟩ a falar para então me contares tudo o que se passou.

Apresentação 2

A

Pronomes relativos
• Fazem referência a pessoas ou coisas que os antecedem.
• Colocam-se a seguir ao antecedente.

B

Antecedente	Relativos invariáveis
Pessoas e/ou coisas	**que** (1) (2)
Pessoas	**quem** (3)
Coisas	**onde** (4)

N.B.: a) O relativo **quem** está geralmente precedido por uma preposição.

b) O relativo **onde** exprime uma circunstância de lugar.

Oralidade 5

1. Dois dos *jovens* **que** faziam parte do meu grupo eram de Macau.

2. *A viagem* **que** a Guida fez no Creoula durou cerca de um mês.

3. *O professor* com **quem** estive a falar também participou na viagem.

4. Houve recepções em todos *os portos* **onde** atracámos.

Oralidade 6

1. Encontramo-nos à porta do café _onde_ estivemos ontem.

2. Os professores _que_ nos acompanharam na viagem também vão participar no debate.

3. O Nuno e o Jorge, _quem_ já trabalham juntos há algum tempo, vão agora fazer uma reportagem nos Açores.

4. A tradução _que_ acabámos de receber tem de estar pronta amanhã.

5. O estudante a _quem_ a escola ofereceu uma bolsa de estudo é natural do Porto.

6. A casa _onde_ a D. Helena nasceu ainda existe.

7. O curso de inglês _que_ a Inês está a frequentar vai ajudá-la na sua carreira futura.

8. Os jovens com _quem_ contactei foram muito simpáticos.

9. O jornal _onde_ o Nuno trabalha abriu recentemente uma dependência no Algarve.

10. As crianças de _quem_ te falei já foram integradas na nova escola.

CASA DOS BICOS

INFANTE D. HENRIQUE

VASCO DA GAMA

Texto

No âmbito das Comemorações dos Descobrimentos Portugueses foi nomeada, por um período de doze anos, uma Comissão Nacional (CNCDP) que estará a funcionar até ao ano 2000. A CNCDP, com sede na Casa dos Bicos em Lisboa, tem apoiado e continuará a apoiar diversas iniciativas de índole cultural.

Comissão dos Descobrimentos promove série de televisão

A série, que se intitula «A Viagem das Plantas», será constituída por seis episódios. Conta a história da descoberta e da recepção na Europa de seis plantas desconhecidas até às navegações dos séculos XV e XVI. Assim, os espectadores serão levados numa viagem pela história do açúcar, da batata, do café, do cacau, do tabaco e do milho.

Vasco da Gama vai ter ópera e Philip Glass vai ser o autor

Está prevista a realização de uma ópera sobre os Descobrimentos Portugueses da autoria do compositor norte-americano Philip Glass, que aceitou o convite que a CNCDP lhe dirigiu há uns meses atrás. A estreia mundial da ópera — que será inspirada na figura de Vasco da Gama e nas suas viagens — deverá ser em Lisboa, em co-produção com o Teatro Nacional de S. Carlos.

Franceses publicarão livros sobre os navegadores portugueses

Uma editora francesa publicará nos próximos anos quatro livros sobre os grandes nomes da navegação portuguesa. A colecção incluirá obras sobre as figuras do Infante D. Henrique, a quem será dedicado o 1.º livro da série, de Vasco da Gama, Fernão de Magalhães e Fernão Mendes Pinto, entre outros. A investigação relativa à preparação destas obras contará com o apoio da CNCDP.

Portugal à (re)descoberta dos Descobrimentos

Exposições, lançamento de livros, representações teatrais e concertos de música são algumas das iniciativas com que regularmente a CNCDP prossegue o seu projecto de actividades itinerantes. O objectivo é dar a conhecer a época dos Descobrimentos aos habitantes das cidades, vilas e aldeias de norte a sul de Portugal continental e regiões autónomas.

— Vamos lá escrever!

Compreensão

1. A que é que corresponde a sigla CNCDP?

2. Em que ano foi fundada a Comissão a que o texto se refere?

3. Justifique o título atribuído à série de televisão que a Comissão está a promover.

4. Refira-se ao tema, personagem principal e local previsto para a estreia da ópera que o compositor Philip Glass está a preparar.

5. De que modo é que os franceses vão participar nas Comemorações dos Descobrimentos Portugueses?

6. Explique, de acordo com o contexto, o sentido da expressão «actividades itinerantes» no artigo «Portugal à (re)descoberta dos Descobrimentos».

Escrita 1

Ligue as duas frases por meio de um pronome relativo. Faça as alterações necessárias.

> **Exemplo:** A exposição foi muito interessante. Acabámos de ver **a exposição**.
> *A exposição que acabámos de ver foi muito interessante.*

1. A série de televisão será constituída por seis episódios. **A série** intitula-se «A Viagem das Plantas.»

2. Aquele senhor é o meu professor de História. Eu estive a falar com **ele** ontem à tarde.

3. O objectivo das actividades itinerantes é dar a conhecer a época dos Descobrimentos. A Comissão está a promover **essas actividades.**

4. Houve recepções em todos os portos. **Aí** contactámos com jovens dessas localidades.

5. Os navegadores eram portugueses. **Eles** fizeram importantes descobertas.

Escrita 2

Passe o seguinte texto para o **futuro** e faça as alterações necessárias.

A selecção dos jovens que participaram nas viagens do navio Creoula foi feita por delegações do país em colaboração com as Regiões Autónomas e Macau.

Posteriormente, os jovens foram divididos em vários grupos que tiveram a supervisão de um director de treino e de um professor.

Em todos os portos houve recepções e os participantes puderam contactar com rapazes e raparigas dessas localidades.

Esta iniciativa teve grande apoio da CNCDP.

A selecção dos jovens que participarão nas viagens do navio Creoula será feita por delegações do país em colaboração com as Regiões A. de Macau. Posteriormente os jovens serão divididos engrupos que terão

Em todos os portos havra poderão

Esta iniciative tera ...

Sumário

Objectivos funcionais

Confirmar, perguntando	«Participaste numa das viagens do Creoula, não foi?» «Estás a preparar um trabalho (...), não é?»
Desculpar-se	«Desculpa lá o atraso.»
Falar de acções futuras	«(...) haverá um debate (...)»
Localizar acções futuras no tempo	«Terei de apresentá-lo daqui a duas semanas.»

Vocabulário

Substantivos e adjectivos:

o açúcar	o compositor	Macau	a questão
o âmbito	o contexto	o milho	a realização
o apoio	continental (adj.)	o Minho	a recepção
o autor	o convite	o Ministério da Educa-	a região autónoma
a autoria	o Creoula	ção	relativo (adj.)
a bolsa de estudo	o debate	mundial (adj.)	a sede
o cacau	a delegação	a navegação	o sentido
a carreira	a dependência	o navio	a sigla
a Casa dos Bicos	os Descobrimentos	norte-americano (adj.)	a sugestão
a co-produção	a editora	o objectivo	a supervisão
a colaboração	o episódio	a ópera	o tabaco
a colecção	futuro (adj.)	a orientação	teatral (adj.)
a comemoração	a índole	o participante	o Teatro Nacional de
a Comissão Nacional para	o instrumento	a personagem	S. Carlos
as Comemorações dos	a investigação	a planta	o tema
Descobrimentos	itinerante (adj.)	a preparação	a tripulação
Portugueses (CNCDP)	o lançamento		

Expressões:

a bordo de	dar apoio a	pôr questões a	ser natural de
dar a conhecer			

Verbos:

apoiar	contactar	incluir	nomear
apresentar	corresponder	inspirar	prosseguir
atracar	durar	integrar	publicar
atribuir	existir	intitular-se	realizar
constituir	fundar		

Áreas gramaticais/Estruturas

Futuro imperfeito do indicativo: | **verbos irregulares**

Interrogativas de confirmação

Diálogo

Avó São: Será que faz muito frio em Barcelos?

D. Helena: Acho que sim, mãe. Quanto mais para norte, mais frio está. É melhor levar roupa bem quente. E não se esqueça dos seus remédios!

Avó São: Não. Já estão no saco. Podes ficar descansada que farei tudo o que o médico me disse.

D. Helena: O seu grupo também vai na excursão, não vai?

Avó São: A Ilda e a Manuela vão comigo de camioneta. O Joaquim irá lá ter mais tarde. Ele tem família no norte e, por isso, não ficará na estalagem connosco.

D. Helena: Vêm no domingo à noite, não vêm?

Avó São: Sim. Devemos chegar por volta das nove.

D. Helena: Então vou buscá-las ao terminal das camionetas e levo as suas amigas a casa.

— Vamos lá falar!

Apresentação 1

A

Futuro imperfeito do indicativo	
Verbo **dizer**	
(eu)	**direi**
(tu)	**dirás**
(você, ele, ela)	**dirá**
(nós)	**diremos**
(vocês, eles, elas)	**dirão**

Oralidade 1

1. Eu direi
2. Tu dirás
3. Você dirá
4. Ele dirá
5. Ela dirá

6. Nós diremos
7. Vocês dirão
8. Eles dirão
9. Elas dirão

B

Futuro imperfeito do indicativo	
Verbo **fazer**	
(eu)	**farei**
(tu)	**farás**
(você, ele, ela)	**fará**
(nós)	**faremos**
(vocês, eles, elas)	**farão**

Oralidade 2 🔲

1. Eu farei
2. Tu farás
3. Você fará
4. Ele fará
5. Ela fará

6. Nós faremos
7. Vocês farão
8. Eles farão
9. Elas farão

C	Futuro imperfeito do indicativo	
	Verbo **trazer**	
	(eu)	**trarei**
	(tu)	**trarás**
	(você, ele, ela)	**trará**
	(nós)	**traremos**
	(vocês, eles, elas)	**trarão**

Oralidade 3 🔲

1. Eu trarei
2. Tu trarás
3. Você trará
4. Ele trará
5. Ela trará

6. Nós traremos
7. Vocês trarão
8. Eles trarão
9. Elas trarão

Oralidade 4 🔲

1. Nós ~~ficaremos~~ hospedadas na estalagem de Barcelos. (*ficar*)

2. Eles _farão_ a viagem de noite e só _chegarão_ de manhãzinha. (*fazer, chegar*)

3. A avó São _tomará_ os remédios e _fará_ tudo o que o médico lhe disse. (*tomar, fazer*)

4. Eu _direi_ às minhas amigas que tu as _levarás_ a casa. (*dizer, levar*)

5. O Joaquim _trará_ umas lembranças da terra dele. (*trazer*)

Oralidade 5 🔲

Exemplo:
> **Vamos fazer** compras lá no Norte.
> *Faremos compras lá no Norte.*
>
> **Havemos de visitar** a Sé de Braga.
> *Visitaremos a Sé de Braga.*

1. Vamos a Barcelos e de lá **vamos partir** para Braga.
   partiremos

2. **Hei-de trazer** alguns barros de Barcelos.
   trarei

3. O programa **vai incluir** uma visita às oficinas de olaria.
   incluirá

4. Lá **havemos de comprar** os famosos galos de Barcelos.
   compraremos

5. A avó São **vai aproveitar** para tirar fotografias às bonitas igrejas do Norte.
   aproveitará

Apresentação 2

Futuro imperfeito do indicativo
Emprego
• O futuro usa-se também para exprimir **incerteza**. **Será** que vai chover?

Oralidade 6

1. Vamos hoje para Barcelos. _Será_ que está frio lá no Norte? (*ser*)

2. Hoje já não tenho tempo. O senhor _podrá_ vir cá amanhã? (*poder*)

3. Quem é que está a tocar à porta? _Será_ o Nuno? (*ser*)

4. _Estará_ no escritório hoje à tarde, Dr. Vilar? Preciso de falar consigo. (*estar*)

5. Eu sei que a Inês estudou muito, mas _passará_ no exame? (*passar*)

Apresentação 3

Interrogativas de confirmação
Frases declarativas
1. **Afirmativas** — repete-se o **mesmo verbo**, precedido do advérbio de negação *não*.
2. **Negativas** — acrescenta-se a expressão *pois não*.

Oralidade 7

1. A Ilda também **vai** na excursão, *não vai*?
2. O Joaquim **não vai** com vocês, *pois não*?
3. Vocês **vêm** no domingo à noite, *não vêm*?

Oralidade 8 🔲

1. Já sabe a que horas chega, _não sabe_ _____?
2. Compraste o jornal, _não compraste_ _____?
3. Ainda não estiveste com o João, _pois não_ _____?
4. Ainda havia bilhetes, _não havia_ _____?
5. Eu já te tinha falado no assunto, _não te tinha falado_ _____?
6. O médico veio cá a casa, _não veio_ _____?
7. Não tens frio, _pois não_ _____?
8. Também fomos convidados, _não fomos_ _____?
9. Tens trabalhado muito, _não tens_ _____?
10. O pai anda muito cansado, _não anda_ _____?

🔲 Texto

A lenda do galo de Barcelos

Há muitos anos uma família de peregrinos que passou por Portugal hospedou-se numa estalagem minhota e como levava um grande farnel e fazia pouca despesa, o hospedeiro, que era muito ganancioso, levou os peregrinos ao juiz e disse que eles o tinham roubado.

O pobre chefe de família, que não tinha ninguém para o defender, pois era desconhecido naqueles sítios, foi condenado à morte.

Desesperado, foi ao seu farnel, tirou um frango e disse:

—É tão verdade eu estar inocente, como este galo cantar.

E o curioso é que o galo cantou mesmo!

Hoje o galo de Barcelos, feito de barro colorido, é conhecido até no estrangeiro e lembrará sempre esta lenda.

— Vamos lá escrever!

Compreensão

1. Em que província portuguesa se situa Barcelos?

    Minho

2. Porque é que o hospedeiro levou os peregrinos ao juiz?

    erá muito ganancioso

3. Porque é que o peregrino foi condenado à morte?

    não tinha ninguém para o defender

4. Porque é que o pobre chefe de família não tinha ninguém para o defender?

    não conhecia a ninguem naqueles sítios

5. Qual é a figura do artesanato português que simboliza Barcelos? De que material é feita?

    O galo feito de barro

Escrita 1

Explique, por palavras suas, o sentido dos seguintes vocábulos do texto:

1. peregrino (linha 1)

    pessoa que va a um sítio religioso

2. farnel (linha 2)

    pacote de alimentos

3. despesa (linha 3)

4. hospedeiro (linha 3)

    pessoa que dirige uma estalagem

5. ganancioso (linha 3)

    quem quer ganar muito dinheiro

6. pobre (linha 5)

7. curioso (linha 9)

8. lenda (linha 11)

Escrita 2

Ligue as frases por meio de um pronome relativo e faça as alterações necessárias.

> **Exemplo:** Os peregrinos ficaram hospedados numa estalagem do Minho. **Eles** passaram por Portugal.
>
> *Os peregrinos, que passaram por Portugal, ficaram hospedados numa estalagem do Minho.*

1. O hospedeiro da estalagem levou os peregrinos ao juiz. **O hospedeiro** era muito ganancioso.

   O hopedeiro, que era muito ganancioso, —

2. A avó São gostou muito da cidade. **Ela** nunca tinha ido a Barcelos.

   A avó São, que nunca tinha ido a Barcelos

3. As oficinas de olaria atraem muitos visitantes. **Lá** fazem-se trabalhos em barro.

   As oficinas, onde fazem-se trabalhos em barro, —

4. As amigas são de Lisboa. A avó São fará a excursão com **elas**.

   As amigas, com quem a avó São —

5. A camioneta vai directamente para Barcelos. A avó São vai viajar **nessa camioneta**.

   A camioneta onde a avó São vai viajar, —

Sumário

Objectivos funcionais

Confirmar   «Vêm no domingo à noite, não vêm?»

Expressar incerteza   «Será que faz muito frio em Barcelos?»

Recomendar   «É melhor levar roupa bem quente.»
                                   «E não se esqueça dos seus remédios!»

Vocabulário

Substantivos e adjectivos:

Barcelos	a excursão	inocente (adj.)	o peregrino
o barro	o farnel	o juiz	a província
Braga	o frango	a lenda	o remédio
o chefe de família	o galo	minhoto (adj.)	a Sé de Braga
curioso (adj.)	ganancioso (adj.)	a oficina de olaria	o terminal
desesperado (adj.)	o hospedeiro		

Expressões:

condenar à morte	fazer despesa	quanto mais... mais	tocar à porta

Verbos:

desconhecer	hospedar-se	roubar	situar-se
hospedar	lembrar		

«(…) conheço lá uma tasquinha, cujo dono é o pai de um colega meu.»

Áreas gramaticais/Estruturas

Colocação dos possessivos

Relativos variáveis:

o/a qual, os/as quais; cujo(s), cuja(s)

Diálogo

Guida: Ó Nuno, és mesmo um infeliz! Estás sempre a fazer e a desfazer malas.

Nuno: Pois é. Mas pelo menos ficarei em Lisboa durante esta semana.

Guida: Acho bem. Assim podes vir connosco aos Santos Populares.

Nuno: Aonde é que vão?

Inês: Estamos a pensar ir ver as marchas na Av. da Liberdade e depois jantamos em Alfama.

Nuno: Vou telefonar ao Jorge para ele vir connosco.

Inês: Olha, conheço lá uma tasquinha, cujo dono é o pai de um colega meu. Ele faz umas sardinhas assadas no carvão que são uma maravilha.

Nuno: Óptimo! Então está combinado. E a seguir, qual é o programa?

Inês: Bem, podíamos ficar em Alfama para ver os festejos. Os arraiais costumam ser giríssimos.

— Vamos lá falar!

Apresentação 1

Artigos	Colocação do possessivo
Definidos — o, a, os, as	• **antes do substantivo:** artigo definido + possessivo + substantivo
Indefinidos — um, uma, uns, umas	• **depois do substantivo:** artigo indefinido + substantivo + possessivo

Oralidade 1

1. **A minha avó** já tem 89 anos.
2. **Uma avó minha** já tem 89 anos.
3. **Os vossos primos** estão no Porto.
4. Encontrei **uns primos vossos** no Porto.

Oralidade 2 ⬚

> **Exemplo:** Ontem almocei com um ____ amigo *meu*. (*meu*)

1. Conheci ontem umas _____ amigas _tuas_ . (*tuas*)
2. Essa foi uma _____ ideia _minha_ . (*minha*)
3. Empresta-me a _sua_ caneta _____ , por favor? (*sua*)
4. As _vossas_ sugestões _____ são sempre bem-vindas. (*vossas*)
5. Estivemos em casa de uns _____ vizinhos _nossos_ . (*nossos*)

Oralidade 3 🔲

> **Exemplo:** | **A minha amiga** chama-se Guida.
> A Guida é *uma amiga minha.*

1. **O pai do teu colega** é dono do restaurante.
   O restaurante é do pai de _um colega teu_

2. **Os vossos amigos** vão dar uma festa.
   Vamos à festa de _uns amigos nossos_

3. **A tua colega** ainda não veio.
   Estou à espera de _uma colega tua_

4. **Os teus tios** chegam hoje.
   Vou buscar _uns tios meus_ ao aeroporto.

5. **A sua proposta** ainda não foi discutida, D. Helena.
   Hoje vamos discutir _uma proposta sua_ , D. Helena.

Apresentação 2

Antecedente	Relativos variáveis			
	singular		plural	
Pessoas	masc.	fem.	masc.	fem.
e/ou	o qual	a qual	os quais	as quais
coisas	cujo	cuja	cujos	cujas

N.B.: a) Os relativos **o/a qual**, **os/as quais** concordam em género e número com o antecedente.

b) Os relativos **cujo(s)**, **cuja(s)**, que indicam posse, são seguidos de um substantivo com o qual concordam em género e número.

Oralidade 4 🔲

1. *O teste* para **o qual** estudei tanto correu bem.
2. *Os nossos vizinhos* com **os quais** nos damos há muitos anos também vêm ao jantar.
3. Comemos numa *tasquinha* **cujo** *dono* é um amigo nosso.
4. *O jornalista*, **cujas** *reportagens* foram premiadas, é colega do Nuno.

Oralidade 5 🔲

1. O curso de línguas no _qual_ a Inês se inscreveu vai ajudá-la bastante.
2. Lisboa, _cujo_ padroeiro é o Santo António, está em festa na noite de 12 de Junho.
3. As marchas populares, nas _quais_ participam vários bairros típicos, descem a Av. da Liberdade.
4. A avó São, _cujo_ marido morreu há cinco anos, vive desde então em casa da filha.
5. A pessoa com a _qual_ eu queria falar está de férias.

Oralidade 6 ▭

Exemplo: O homem **de casaco castanho** é meu professor.

O homem, _cujo casaco é castanho_, é meu professor.

1. O dicionário **de capa encarnada** é de Língua Portuguesa.
   cuja capa é encarnada

2. O rapaz **de olhos azuis** é irmão da Guida.
   cujos olhos são azuis

3. A sala **com o chão de madeira** é a mais confortável.
   cujo chão é de madeira

4. A rapariga **de saia às riscas** é minha colega.

5. O quarto **com paredes cor-de-rosa** é da Inês.
   cujas paredes são cor-de-rosa

Oralidade 7 ▭

Exemplo: A camioneta < **onde** / _na qual_ > viajámos era muito confortável.

1. Já não vejo há muito tempo as pessoas < **com quem** / _com as quais_ > me vou encontrar.

2. Os jornalistas < **de quem** / _dos quais_ > te falei trabalham com o Jorge.

3. A avó São foi visitar a aldeia < **onde** / _na qual_ > nasceu.

4. O jogo de futebol < **a que** / _a qual_ > assistimos foi muito emocionante.

5. Comprei-te um livro < **de que** / _do qual_ > vais gostar.

Oralidade 8 ▭

Exemplo: As toalhas **trabalhadas à mão** são sempre caríssimas.

As toalhas _que são trabalhadas à mão_ são sempre caríssimas.

1. Os produtos **feitos nesta fábrica** são para exportação.
   que são feitos

2. Só algumas das pessoas **convidadas** podem vir.
   que foram/são convidadas

3. Ontem fomos ver um filme **muito divertido**.
   que foi muito divertido

4. O S. João **festejado na noite do dia 23 de Junho** é o padroeiro da cidade do Porto.
   que é festejado

5. As famílias **realojadas** já estão bem adaptadas.
   que foram realojadas

Texto

Os Santos Populares, festejados um pouco por todo o país, fazem parte de uma tradição secular que o povo português tem sabido preservar.

Em Lisboa, terra de Santo António, é na noite de 12 para 13 de Junho que começa o fogo de artifício. Nos bairros mais castiços, com os largos e becos enfeitados, serve-se a sardinha assada acompanhada com vinho tinto por entre o cheiro dos cravos e manjericos.

No Porto as festas maiores da cidade são na noite de 23 para 24 de Junho em que S. João é a figura dominante. Os portuenses vão para a rua *armados* de alhos-porros com que se *agridem* mutuamente, enquanto se dirigem para os arraiais. Por toda a parte há fogueiras e as pessoas cantam e dançam toda a noite. Come-se o tradicional cabrito assado, regado com vinho verde.

Na cidade de Évora, em pleno Alentejo, festeja-se o S. Pedro de 28 para 29 de Junho. A coincidir com estes festejos realiza-se uma feira — hoje feira-exposição e feira-festa —, na qual o artesanato e o folclore alentejano têm um papel muito importante.

— Vamos lá escrever!

Compreensão

1. Em que altura do ano se festejam os Santos Populares?

2. Explique, por palavras suas, o sentido da expressão «uma tradição secular». (linha 2)

3. O texto associa três santos populares a três importantes cidades portuguesas. Identifique-os.

4. O que é que tradicionalmente se come e bebe em Lisboa e no Porto na noite dos Santos Populares?

5. Porque é que se chama «feira-exposição» e «feira-festa» à feira de Évora?

Escrita 1

Ligue as duas frases por meio de um relativo. Faça as alterações necessárias.

> **Exemplo:** Lisboa é uma cidade em festa na noite de 12 para 13 de Junho. **O seu** padroeiro é o Santo António.
>
> *Lisboa, cujo padroeiro é o Santo António, é uma cidade em festa na noite de 12 para 13 de Junho.*

1. Os Santos Populares fazem parte de uma tradição secular. **Os seus** festejos realizam-se por todo o país.

2. As festas da cidade do Porto são na noite de 23 para 24 de Junho. **Lá**, a figura dominante é o S. João.

3. Nos bairros mais castiços serve-se a sardinha assada. **Os seus** largos e becos estão enfeitados.

4. Na cidade de Évora festeja-se o S. Pedro. **Évora** fica em pleno Alentejo.

5. Anualmente realiza-se em Évora uma feira. **Nesta feira** o artesanato tem um papel muito importante.

Escrita 2

Complete o quadro.

	Substantivo	Adjectivo
1	o século	secular
2	a tradição	(tradicional) castiço
3	o povo	popular
4	noite	nocturno
5	folclore	folclórico
6	festa festejo	festivo

Escrita 3

Complete os quadros.

A	Cidade	Naturalidade
1	Barcelos	barcelense
2	Évora	eborense
3	Lisboa	lisboeta
4	Porto	portuense
5		viseense

B	Regiões	Naturalidade
1	Alentejo	Alentejano
2	Algarve	algarvio
3	Macau	macaense
4	Madeira	
5	Minho	minhoto

Sumário

Objectivos funcionais

Dar sugestões — «Bem, podíamos ficar em Alfama para ver os festejos.»

Emitir juízos de valor — «Ó Nuno, és mesmo um infeliz!»

Fazer planos — «Estamos a pensar ir ver as marchas na Av. da Liberdade (...)»

«(...) depois jantamos em Alfama.»

Vocabulário

Substantivos e adjectivos:

adaptado (adj.) alentejano (adj.) o Alentejo Alfama o alho-porro armado (adj.) o arraial assado (adj.) a Avenida da Liberdade barcelense (adj.) o beco *ruelle* o cabrito a capa caríssimo (adj.) castiço (adj.)	o cheiro confortável (adj.) o cravo *œuillet* dominante (adj.) o dono eborense (adj.) emocionante (adj.) enfeitado (adj.) *décoré* Évora a exportação a feira a feira-exposição a feira-festa o festejo o fogo de artifício	o folclore folclórico (adj.) giríssimo (adj.) infeliz (adj.) macaense (adj.) a madeira o manjerico = *basilic* a marcha as marchas populares nocturno (adj.) o padroeiro o portuense o produto a proposta regado (adj.)	o S. João o S. Pedro o Santo António os Santos Populares a sardinha secular (adj.) a tasquinha a tradição tradicional (adj.) o vinho tinto o vinho verde viseense (adj.)

Expressões:

desde então estar em festa	fazer parte de	pelo menos	trabalhada à mão

Verbos:

acompanhar (com) agredir-se associar	coincidir dar-se (com) desfazer	inscrever-se premiar preservar	realizar servir

«Não me importaria nada de estudar aqui.»

Áreas gramaticais/Estruturas

Condicional presente:	**verbos regulares**
Derivação por prefixação:	**des-, in- (im-), i-, (ir-)**

Demonstrativos:	**o mesmo**
Locuções conjuncionais:	**ora … ora**
Locuções prepositivas:	**em volta de**

Diálogo

Inês: Uma Universidade como esta nunca tinha visto! O edifício é uma autêntica obra de arte. Não me importaria nada de estudar aqui.

Nuno: Do que eu mais gostei foi da Capela dos Ossos. As paredes forradas a ossos provocam uma sensação desagradável, mas não há dúvida que vale a pena visitá-la.

Guida: Para mim, o melhor foram as ruínas do Templo de Diana, cujo valor histórico é indiscutível!

Inês: Eu estou fascinada com todos estes monumentos representativos de épocas tão diferentes, isto é, testemunhos dos mais diversos estilos arquitectónicos desde a era romana até aos nossos dias.

Nuno: Por tudo isso é que se diz que Évora é a cidade-museu do Alentejo.

Guida: Do Alentejo e de Portugal inteiro. Até já faz parte do património mundial!

Inês: Acho que gostaria muito de viver aqui.

 — Vamos lá falar!

Oralidade 1

Exemplo: universidade / (eu) / ver

Uma universidade como esta nunca tinha visto!

1. carne / (nós) / comer

_____!

2. vinho / (tu) / beber

_____!

3. espectáculo / (vocês) / ver

_____!

4. férias / (eu) / ter

_____!

5. festa / (-) / haver

_____!

6. cidade / (eu) / visitar

_____!

7. história / (nós) / ouvir

_____!

8. bolo / (tu) / provar

_____!

9. livro / (eu) / ler

_____!

10. viagem / (tu) / fazer

_____!

Apresentação 1

A	Condicional presente	
	Verbos regulares	
(eu)	achar **ia**	
(tu)	gostar **ias**	
(você, ele, ela)	falar **ia**	
(nós)	poder **íamos**	
(vocês, eles, elas)	vir **iam**	

B	Condicional presente
	Emprego
	• Acção pouco provável, dependente de uma condição que não se realiza no presente. (1) (2) • Forma de cortesia para expressar desejos e/ou sugestões. (3) (4) • Discurso indirecto, quando, no discurso directo, a forma verbal está no futuro imperfeito do indicativo. (5) • Acção posterior à época de que se fala. (6)

N.B.: Nos dois primeiros casos, **o condicional** pode ser substituído pelo **imperfeito do indicativo**.

Oralidade 2 🔲

1. Eu **iria** contigo, mas infelizmente não tenho tempo.
2. Sem a tua ajuda, não **conseguiríamos** acabar o trabalho a tempo.
3. A Inês **gostaria** de estudar na Universidade de Évora.
4. **Deveríamos** convidar os tios para uma festa, não achas?
5. «Chegaremos por volta das 15:30» disse ele.
   Ele disse que **chegariam** por volta das 15:30.
6. A Universidade de Évora foi fundada em 1559 e **seria** encerrada em 1759.

Oralidade 3 🔲

Exemplo:	Eu não me **importava** nada de viver em Évora.
	Eu não me importaria nada de viver em Évora.

1. Não **gostavas** de fazer essa viagem?

2. Sem a sua ajuda, eu não **era** capaz de encontrar a rua.

3. Eu **dava** tudo para conseguir um autógrafo dele.

4. Eles **deviam** acabar o trabalho no fim do mês, mas acho que não vai ser possível.

5. **Podia** dizer-me as horas, por favor?

Oralidade 4 🔘

Exemplo: Eu *gostaria* muito de ir com vocês a Évora, mas não posso. (*gostar*)

1. Ele disse que só ——————— em casa à noite. (*estar*)
2. Eu ——————— tudo para não ter exame amanhã. Estou nervosíssima. (*dar*)
3. Nós——————— imenso de ir à inauguração da nova livraria. (*gostar*)
4. (Eu)——————— muito gosto em acompanhá-los ao aeroporto. (*ter*)
5. Encerrada em 1759, a Universidade de Évora só——————— a funcionar no nosso século. (*voltar*)

Apresentação 2

Formação de palavras		
Significado	Prefixos	Exemplos
acção contrária	**des-**	**des**marcar **des**fazer
negação	**des-**	**des**agradável **des**vantagem
	in- (im-)	**in**feliz **im**possível
	i- (ir-)	**i**legal **ir**regular

Oralidade 5 🔘

1. Já não há reunião amanhã. O Dr. Vilar acabou de a ——————— marcar.

2. O Nuno viaja muito. Está sempre a fazer e a ——————— fazer as malas.

3. A visita à Capela dos Ossos provoca uma sensação——————— agradável.

4. A proposta foi recusada, porque tinha muitas ——————— vantagens.

5. — O que é que te aconteceu? Estás com um ar muito——————— feliz.

6. — Lamento muito, mas vai ser ——————— possível falar com o senhor doutor hoje.

7. Sem autorização da Câmara não se podem iniciar as obras: é ——————— legal.

8. O tempo tem estado muito ——————— regular: ora chove, ora faz sol.

Oralidade 6

A | des-

1.

Eu **monto** a tenda

Depois és tu que a _____ .

2.

A mãe acabou de **arrumar** o quarto.

As crianças já o estão a _____ .

3.

Quando saiu do cabeleireiro estava muito bem **penteada**.

Como estava muito vento, ficou toda _____ .

4.
Está muito frio. **Liga** o aquecedor.

A sala já está quente. Podes _____ o aquecedor

5.

Há vinte anos esta casa era **habitada**.

Agora está _____ .

B | in- (im-)

1. Este é o número de telefone **correcto**.

O número de telefone que eu lhe tinha dado estava _____ .

2. Quando chegou ao hospital já estava **consciente**.

Ficou _____ durante dez minutos.

3. O actual director é uma pessoa muito **popular**.

O anterior era _____ .

4. Tem de preencher o impresso com o nome **completo**.

A morada está _____ : falta o código postal.

C | i- (ir-)

1. Os impressos têm de ser preenchidos com letra **legível**.

Esta mensagem está _____ : não percebo nada.

2. O homem é um animal **racional**.

O cão é um animal _____ .

121

Texto

Évora, capital do Alto Alentejo e cidade-museu de Portugal, conserva intactos valiosos tesouros arquitectónicos do seu passado histórico-cultural.

Quando se entra em Évora, tem-se a sensação de ter recuado no tempo e estar a descobrir uma história antiga que fala dos nossos antepassados, dos seus hábitos e modos de vida.

Centrada em volta da primeira muralha, a história da cidade espalha-se pelos inúmeros museus e templos que guardam um património artístico de valor incalculável.

No entanto, estes monumentos das mais variadas épocas estão hoje bem integrados na paisagem citadina, juntam a arquitectura do passado, mais erudita, com o pitoresco do casario branco, típico do Alentejo.

No plano cultural, a Universidade de Évora, fundada em 1559 e orientada pelos Jesuítas, ganharia prestígio e alcançaria grande projecção em toda a Europa.

Por tudo isto, a cidade tem sido e continua a ser um pólo privilegiado de atracção turística. E bem merece uma visita!

— Vamos lá escrever!

Compreensão

1. Porque é que Évora é considerada a cidade-museu de Portugal?

_____

2. Porque é que, quando se entra em Évora, se tem a sensação de ter recuado no tempo?

_____

3. Porque é que se diz que os monumentos do passado estão hoje bem integrados na paisagem citadina?

_____

4. Do ponto de vista cultural, o que é que marcou a cidade de Évora?

_____

5. A quem se ficou a dever o prestígio e projecção além-fronteiras alcançado pela Universidade de Évora?

_____

Escrita 1

Complete o quadro.

	Substantivo	Adjectivo
1	a arquitectura	
2	a arte	
3	a cidade	
4	a cultura	
5	o valor	

Escrita 2

Complete o texto com os verbos na forma correcta.

A Universidade de Évora _____ (*fundar*) em 1559 pelo Cardeal D. Henrique que, no mesmo ano, a _____ (*entregar*) aos Jesuítas.

_____ (*encerrar*) em 1759 pelo Marquês de Pombal, só _____ (*voltar*) a funcionar em 1973 com a criação do Instituto Universitário de Évora. O estatuto de universidade _____ (*readquirir*) em 1979.

O edifício principal da Universidade de Évora — Colégio do Espírito Santo —, cuja construção _____ (*remontar*) ao século XVI, _____ (*ser*) um bom exemplo da arte renascentista em Portugal.

Sumário

Objectivos funcionais

Emitir juízos de valor	«Uma Universidade como esta nunca tinha visto!»
Expressar agrado	«Para mim, o melhor foram as ruínas do Templo de Diana.»
	«Eu estou fascinada com todos estes monumentos (...) »
Expressar desejos	«Acho que gostaria muito de viver aqui.»

Vocabulário

Substantivos e adjectivos:

actual (adj.)	completo (adj.)	inconsciente (adj.)	o pólo
além-fronteiras (adj.)	consciente (adj.)	incorrecto (adj.)	o ponto de vista
o Alto Alentejo	correcto (adj.)	indiscutível (adj.)	popular (adj.)
o antepassado	a criação	o Instituto Universitário	o prestígio
o aquecedor	desagradável (adj.)	de Évora	privilegiado (adj.)
arquitectónico (adj.)	despenteado (adj.)	intacto (adj.)	a projecção
a arquitectura	a desvantagem	inúmero (adj.)	racional (adj.)
autêntico (adj.)	a era	irracional (adj.)	renascentista (adj.)
o autógrafo	erudito (adj.)	irregular (adj.)	representativo (adj.)
a autorização	o estatuto	os Jesuítas	romano (adj.)
o cão	o estilo	legível (adj.)	as ruínas
o cabeleireiro	o hábito	o Marquês de Pombal	a sensação
a Câmara	histórico (adj.)	a mensagem	o Templo de Diana
a Capela dos Ossos	histórico-cultural (adj.)	o monumento	o tesouro
o Cardeal D. Henrique	ilegal (adj.)	as obras	o testemunho
o casario	impopular (adj.)	o passado	a Universidade de Évora
a cidade-museu	a inauguração	o património	valioso (adj.)
citadino (adj.)	incalculável (adj.)	penteado (adj.)	o valor
o código postal	incompleto (adj.)	pitoresco (adj.)	
o Colégio do Espírito Santo			

Expressões:

a tempo alcançar prestígio alcançar projecção	dar tudo para em volta de estar fascinado	fazer sol ficar a dever ganhar prestígio	os nossos dias ter tempo

Verbos:

centrar conservar desabitar desarrumar desligar	desmarcar desmontar encerrar espalhar-se forrar (a)	funcionar iniciar merecer orientar	readquirir recuar remontar voltar (a)

«Então poderíamos ir antes a uma casa de fados!»

Áreas gramaticais/Estruturas

Condicional presente: **verbos irregulares**

Derivação por sufixação: **-eiro, -ista, -or**

Advérbios: **basicamente, frequentemente**

Diálogo

Nuno: Já decidiram onde é que vamos jantar nos anos da Guida?

Jorge: Bem, há aquele restaurante onde fomos…

Inês: Esse, não! Tivemos de esperar imenso! Há tantos restaurantes em Lisboa. Vamos antes a outro.

Nuno: Eu conheço um no Bairro Alto que tem uma açorda de marisco que é uma maravilha.

Inês: Bairro Alto?! Então poderíamos ir antes a uma casa de fados!

Jorge: Eu diria que tiveste uma boa ideia. Jantamos e depois ouvimos fado. A Adega do Ribatejo tem sempre bons fadistas e guitarristas. Porque é que não nos lembrámos disso antes?

Nuno: O que é que a aniversariante acha do programa?

Guida: Acho que seria uma noite muito bem passada. E como são vocês que pagam… melhor ainda.

 # — Vamos lá falar!

Apresentação 1

Advérbio **antes**	
Significado	Exemplo
• mais cedo	Porque é que não nos lembrámos disso **antes**?
• de preferência	Esse não! Vamos **antes** a outro restaurante.

Oralidade 1

Exemplo:

— Porque é que não vamos ao restaurante chinês?

— Vamos

— Poderíamos ir *antes ao italiano* (italiano)

1. — Querem ir ao cinema?
    — Vamos *antes ao teatro*. (teatro)

2. — Comemos em casa?
    — Poderíamos ir *antes a jantar fora*. (jantar fora)

3. — Que tal irmos à revista?
    — Vamos *antes a uma casa de fados*. (casa de fados)

4. — Querem ir de autocarro?
    — Poderíamos ir *antes de/em táxi*. (táxi)

5. — Porque é que não vemos o filme na televisão?
    — Vamos *antes a jogar às cartas*. (jogar às cartas)

Apresentação 2

A	Condicional presente	
	Verbo **dizer**	
(eu)	**diria**	
(tu)	**dirias**	
(você, ele, ela)	**diria**	
(nós)	**diríamos**	
(vocês, eles, elas)	**diriam**	

Oralidade 2

1. Eu diria
2. Tu dirias
3. Você diria
4. Ele diria
5. Ela diria

6. Nós diríamos
7. Vocês diriam
8. Eles diriam
9. Elas diriam

B	Condicional presente	
	Verbo **fazer**	
(eu)	**faria**	
(tu)	**farias**	
(você, ele, ela)	**faria**	
(nós)	**faríamos**	
(vocês, eles, elas)	**fariam**	

Oralidade 3

1. Eu faria
2. Tu farias
3. Você faria
4. Ele faria
5. Ela faria

6. Nós faríamos
7. Vocês fariam
8. Eles fariam
9. Elas fariam

C	Condicional presente	
	Verbo **trazer**	
(eu)	**traria**	
(tu)	**trarias**	
(você, ele, ela)	**traria**	
(nós)	**traríamos**	
(vocês, eles, elas)	**trariam**	

Oralidade 4 🔲

1. Eu traria
2. Tu trarias
3. Você traria
4. Ele traria
5. Ela traria

6. Nós traríamos
7. Vocês trariam
8. Eles trariam
9. Elas trariam

Oralidade 5 🔲

1. Ninguém me disse a que horas é que eles _trariam_ a encomenda. (*trazer*)
2. Eu _diria_ que tiveste uma boa ideia: jantamos e ouvimos fado. (*dizer*)
3. A mãe da Guida prometeu-lhe que _faria_ o seu bolo preferido. (*fazer*)
4. A Inês disse que _traria_ o irmão para a festa. (*trazer*)
5. Tu _dirias_ ao cliente o que ele lhe disse? Foi muito antipático. (*dizer*)

Oralidade 6 🔲

1. Ele _contaria_ tudo o que aconteceu, mas não estava cá na altura. (*contar*)
2. Os pais também _gostariam_ de vir connosco à casa de fados. (*gostar*)
3. Não _seria_ melhor reservar a mesa para a casa de fados? (*ser*)
4. Eles tinham dito que _trariam_ a prenda para a Guida. (*trazer*)
5. Eu não _me importaria_ de ir contigo, mas hoje não posso. (*importar-se*)

Apresentação 3

Formação de palavras		
Significado	Sufixos	Exemplos
Profissão/ocupação	-eiro	barbeiro bombeiro carpinteiro carteiro toureiro
	-ista	dentista electricista fadista futebolista jornalista
	-or	agricultor escritor locutor professor pintor

Oralidade 7

1. Tive de chamar o _electricista_ para arranjar a instalação eléctrica.

2. Amália Rodrigues tornou-se famosa como _fadista_ .

3. O _agricultor_ cultiva a terra.

4. O Nuno é _jornalista_ e trabalha no Jornal da Cidade.

5. Veio cá o _carteiro_ entregar estas cartas e esta encomenda.

6. O _professor_ de História ajudou a Guida a fazer o trabalho.

7. O Eusébio foi um dos maiores _____ do mundo.

8. O _bombeiro_ apaga o fogo.

9. O prémio Nobel da literatura foi ganho por um _escritor_ espanhol.

10. O Jorge foi ao _barbeiro_ cortar o cabelo.

11. O retrato de Fernando Pessoa é da autoria do _pintor_ português Almada Negreiros.

12. O _carpinteiro_ trabalha a madeira.

13. O Miguel é _locutor_ da Rádio Portuguesa.

14. A Inês foi ao _dentista_ arrancar um dente.

15. O dono da mercearia é o _merceeiro_ .

Texto

O fado é frequentemente considerado a canção nacional. Há basicamente duas variantes: o fado de Lisboa e o fado de Coimbra.

Ninguém conhece ao certo a origem do fado. Sabe-se, sim, que o fado de Lisboa é do século XIX, teve provavelmente a sua origem no Brasil e que se desenvolveu nos ambientes marginais da capital — a palavra fadista chegaria mesmo a significar rufião. No entanto, a pouco e pouco, o fado viria a afidalgar-se, isto é, começaria a ser cantado e escutado em ambientes aristocráticos.

Actualmente as casas de fado são muito apreciadas tanto pelos portugueses como pelos turistas.

O fado de Coimbra, como o seu nome indica, nasceu na velha cidade universitária. Os estudantes, vestidos com capas negras e fatos negros, criaram um tipo de fado bem diferente do de Lisboa, não só no que se refere aos poemas, mas também à melodia.

Em qualquer dos casos, o fado é uma canção melancólica em que se fala de saudade e de amor não correspondido. É cantado à média-luz e é sempre acompanhado por uma guitarra e uma viola.

 ## — Vamos lá escrever!

Compreensão

1. Como é considerado o fado?

    _____

2. Qual é a origem das duas variantes do fado?

    _____

3. Refira-se aos ambientes que o fado de Lisboa conheceu.

    _____

4. Como é a indumentária representativa do fadista de Coimbra?

    _____

5. Apesar das diferenças entre os dois tipos de fado, há vários aspectos em comum. Quais são?

    _____

Escrita 1

O significado das palavras listadas é dado a seguir. Coloque-as nos respectivos lugares.

afidalgar-se	média-luz	rufião
ambiente	melancólico	saudade
apreciar	melodia	**variante**
guitarra	origem	

1. | *variante* | tipo; espécie.

2. | rufião | indivíduo que não quer trabalhar; vadio; patife.

3. | melancólico | triste.

4. | ambiente | meio social em que se vive.

5. | guitarra | instrumento musical de cordas formado por uma parte arredondada e um braço, muito usado para tocar o fado.

6. | meia-luz | pouco iluminado.

7. | afidalgar-se | tornar-se respeitável; aristocratizar-se.
   gagner ses lettres de noblesse

8. | origem | local onde começou.

9. | melodia | conjunto de sons regulares e agradáveis ao ouvido.

10. | apreciar | gostar.

11. | saudade | sentimento de dor e tristeza provocado pela ausência ou desaparecimento de pessoas, coisas ou situações.

Escrita 2

Ligue as frases com a(s) palavra(s) entre parênteses e faça as alterações necessárias.

> **Exemplo:** Os poemas são diferentes nas duas variantes do fado.
> A melodia também é diferente. *(tanto … como)*
>
> ***Tanto os poemas como a melodia são diferentes nas duas variantes do fado.***

1. As casas de fado são muito apreciadas pelos portugueses e pelos turistas. *(não só … mas também)*

   As casas de fado são ~~muito se~~ apreciadas não só pelos portugueses mas também pelos ‑‑‑

2. Os estudantes de Coimbra criaram um tipo de fado. Esse fado é bem diferente do de Lisboa. *(que)*
   /que/

3. O fado de Coimbra é melancólico. O fado de Lisboa também é melancólico. (*tanto ... como*)

Tanto o fado de C. como o de L. é melancólico

4. O Bairro Alto é uma zona típica de Lisboa. Lá encontram-se muitas casas de fado. (*onde*)

onde

5. O fado é considerado a canção nacional. A sua origem é desconhecida. (*cuja*)

O fado, cuja origem é desconhecida, é considerado a canção nacional

Sumário

Objectivos funcionais

Expressar desagrado	«Esse não! Tivemos de esperar imenso!»
Expressar preferência	«Vamos antes a outro.»
Sugerir	«Então poderíamos ir antes a uma casa de fados!»

Vocabulário

Substantivos e adjectivos:

o agricultor	chinês (adj.)	a indumentária	o pintor
o amor	o dentista	a literatura	o poema
o aniversariante	o desaparecimento	o locutor	o prémio Nobel
os anos	a designação	marginal (adj.)	regular (adj.)
o aristocrata	o electricista	a média-luz	respeitável (adj.)
arredondado (adj.)	eléctrico (adj.)	o meio social	o rufião
o aspecto	a espécie	a melodia	a saudade
a ausência	o fadista	a mercearia	o sentimento
o Bairro Alto	o fado	o merceeiro	o significado
o barbeiro	famoso (adj.)	o mundo	a tristeza
o bombeiro	o fato	musical (adj.)	universitário (adj.)
a capa	o futebolista	negro (adj.)	o vadio
o carpinteiro	a guitarra	a ocupação	a variante
o carteiro	o guitarrista	a palavra	a viola
a casa de fados	a História	o patife	
o caso	o indivíduo		

Expressões:

a pouco e pouco	arrancar um dente	cultivar a terra	trabalhar a madeira
amor não correspondido	chegar mesmo a	jogar às cartas	uma noite bem passada
apagar o fogo	cortar o cabelo	ter uma boa ideia	

Verbos:

afidalgar-se	ganhar	reservar	tornar-se
aristocratizar-se	iluminar	significar	usar
escutar	indicar		

I - Ponha os verbos no futuro (voz passiva ou activa).

1. Amália Rodrigues _____ (*dar*) esta noite um espectáculo em Lisboa.

2. _____ (*ser*) um dos pontos mais altos da carreira da fadista.

3. O espectáculo estava gravado (*gravar*) pela televisão.

4. Meio século de vida artística sebata comemorado (*comemorar*) neste espectáculo.

5. Altas personalidades estaram (*estar*) presentes nesta comemoração.

II - Cada um no seu lugar!

A	B
pescador	universidade
carteiro	consultório
fadista	mercearia
locutor	**porto**
merceeiro	casa de fados
dentista	recepção
agricultor	correios
recepcionista	estádio
jornalista	campo
professor	rádio
futebolista	redacção do jornal

1. *O pescador está no porto.*
2. _____
3. _____
4. _____
5. _____
6. _____
7. _____
8. _____
9. _____
10. _____
11. _____

III - Complete as frases com as derivadas por prefixação das palavras em itálico.

1. O que não é *provável* é ___ improvável ___ .
2. O que não está *arrumado* está ___ .
3. O que não é *legal* é ___ ilegal ___ .
4. O que não é *agradável* é ___ desagradavel ___ .
5. Quem não é *feliz* é ___ infeliz ___ .
6. Tudo tem *vantagens* e ___ desvantagens ___ .
7. Os verbos podem ser *regulares* ou ___ irregulares ___ .
8. O que não está *correcto* está ___ incorrecto ___ .
9. O que não é *legível* é ___ ilegível ___ .
10. Há ilhas *habitadas* e ___ .

IV - Passe as seguintes frases para o discurso indirecto e faça as alterações necessárias.

1. «A Comissão Nacional para as Comemorações dos Descobrimentos Portugueses estará a funcionar até ao ano 2000», anunciou o presidente da Comissão.

   O presidente da Comissão anunciou que ___ a C.N.CDP estaria a funcionar até ao ano 2000 ___

2. «A CNCDP ficará instalada na Casa dos Bicos, onde serão organizadas várias exposições relativas aos Descobrimentos Portugueses.»

   O presidente informou que ___ a CNCDP ficaria instalada na Casa dos Bicos onde seriam organizadas varias exposições ___

3. «Haverá também um programa de actividades itinerantes que levarão os Descobrimentos a vários pontos de Portugal.»

   O presidente acrescentou que ___ Havria também um programa de actividades que levariam os descobrimentos a vários pontos de Portugal ___

4. «As iniciativas, na sua maioria, serão de índole cultural: concertos de música, teatro, lançamentos de livros e exposições.»

   Foi ainda referido que ___ as iniciativas, seriam de índole cultural ___

5. «A Comissão apresentará brevemente o seu programa completo. O país poderá assim ficar a conhecer os nossos projectos.»

   Por fim, o presidente disse que ___ a Comissão apresentaria brevemente o seu programa e que o país poderia assim ficar a conhecer os seus ___

V - Ligue as duas frases por meio de um pronome relativo. Faça as alterações necessárias.

1. O empregado era muito simpático. Eu falei com **ele**.
   ___ O empregado com quem falei era muito simpático ___
2. A cidade de Évora faz parte do património mundial. **O seu** passado histórico é riquíssimo.
   ___ A cidade de Évora cujo passado histórico e riquíssimo, faz parte do... ___
3. A reportagem ganhou um prémio. O Nuno trabalhou muito para **a reportagem**.
   ___ A reportagem para o qual O Nuno trabalhou muito, ganhou um prémio ___
4. Alfama é uma zona típica de Lisboa. **Lá** festejam-se os Santos Populares.
   ___ " " " " onde " " ___
5. O fado é uma canção melancólica. **Nele** fala-se de saudade e amor não correspondido.
   ___ em o qual fala-se de saudade e amor... ___

«Foi o Jorge que mos emprestou.»

Áreas gramaticais/Estruturas

Infinitivo impessoal

Contracção dos pronomes pessoais complemento directo com complemento indirecto

Diálogo

Inês: Onde é que arranjaste estes catálogos?

Nuno: Foi o Jorge que mos emprestou. São sobre as novas colunas publicitárias. Já as viste?

Inês: Não. O que é isso?

Nuno: Olha, como o próprio nome indica, servem para anunciar. Têm também todas as informações sobre espectáculos! Tens de vê-las. São giríssimas!

Inês: As novas paragens de autocarros também. Até têm banquinhos para as pessoas se sentarem.

Nuno: As placas de sinalização foram todas renovadas, reparaste? Agora são praticamente iguais às do resto da Europa. Há também os painéis informativos.

Inês: Esses sei quais são. Têm sempre informações sobre os locais, horários e iniciativas culturais.

Nuno: São muito úteis. E há os painéis que de um lado têm anúncios e do outro têm a planta da cidade, com as carreiras dos autocarros e as estações de metro assinaladas. Viver em Lisboa é mais fácil.

Inês: Pois é. Lisboa está de facto com outra *cara*.

 # — Vamos lá falar!

Oralidade 1

> **Exemplo:**
>
> – Já viste as novas colunas publicitárias?
> – Não, *ainda não as vi*.
> – *Tens de vê-las. São giríssimas.* (*giro*)

1. – Já ouviste o novo disco dos Heróis do Mar?
   – Não, *ainda não o ouvi* .
   – *Tens de ouvi-lo* . *E muito bom* .(*bom*)

2. – Já levou os seus filhos ao Aquaparque?
   – Não, *ainda não os levou* .
   – *Tem de leva-los* . *E divertidíssimo* .(*divertido*)

3. – Já provaste estas bolachas?
   – Não, *ainda não as provou* .
   – *Tens de prova-las* . *São saborosíssimas* .(*saboroso*)

4. – Já leram os artigos sobre Macau?
   – Não, *ainda não os leimos* .
   – *Têm de lê-los* .(*interessante*)

5. – Já conhece a nova directora?
   – Não, _____ .
   – _____ . _____ .(*simpático*)

Oralidade 2

> **Exemplo:** | – Isto é meu!?!
> | – Claro! *Fui* eu *que te dei*.

1. – Isto é da Inês?!
   – Claro! _____ eu _____ .

2. – Isto é meu?!
   – Claro! _____ o Nuno _____ .

3. – Isto é do pai?!
   – Claro! _____ tu _____ .

4. – Isto é teu?!
   – Claro! _____ vocês _____ .

5. – Isto é da avó?!
   – Claro! _____ nós _____ .

Apresentação 1

Complemento directo e complemento indirecto		
Categorias morfológicas	Colocação	Exemplo
• Dois substantivos	compl. dir. + compl. ind.	Dei **o livro** **ao João**. c. d. c. ind.
• Um substantivo e um pronome	pronome + substantivo	Dei–**o** **ao João**. c. d. c. ind. Dei- **lhe** **o livro**. c. ind. c. d.
• Dois pronomes	compl. ind. + compl. dir. (uma só palavra)	Dei- **lho**. c. ind. c. d.

N.B.:

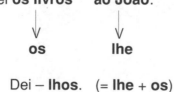

1. Dei **o livro**   **ao João**.
   ↓   ↓
   o   **lhe**

   Dei – **lho**.   (= **lhe** + **o**)

2. Dei **a revista**   **ao João**.
   ↓   ↓
   a   **lhe**

   Dei – **lha**.   (= **lhe** + **a**)

3. Dei **os livros**   **ao João**.
   ↓   ↓
   os   **lhe**

   Dei – **lhos**.   (= **lhe** + **os**)

4. Dei **as revistas**   **ao João**.
   ↓   ↓
   as   **lhe**

   Dei – **lhas**.   (= **lhe** + **as**)

Oralidade 3 🔲

Exemplo:
> – Ainda não deste **os catálogos ao Jorge?**
> – _Dei_, sim senhor. _Dei-lhos_ hoje de manhã.

1. – Ainda não **me** mostraste **as fotografias**?
    – _____ , sim senhor. _____ a semana passada.

2. – Ainda não **te** apresentei **a minha nova amiga**?
    – _____ , sim senhor. _____ ontem.

3. – Ainda não **me** trouxeste os **discos** que te pedi?
    – _____ , sim senhor. _____ anteontem.

4. – Ainda não entregou **o artigo ao chefe de redacção**?
    – _____ , sim senhor. _____ agora mesmo.

5. – Ainda não levou **a carta ao Dr. Vilar**?
    – _____ , sim senhor. _____ há dez minutos.

Apresentação 2

Infinitivo impessoal
Emprego
• Quando tem valor de imperativo. (1)
• Quando não se refere a nenhum sujeito. (2)
• Quando está precedido da preposição *para* e exprime **finalidade.** (3)

Oralidade 4 🔲

1. Não **estacionar** em frente à garagem.
2. **Viver** em Lisboa é mais fácil.
3. As colunas publicitárias servem para **anunciar**.

Oralidade 5 🔲

Exemplo: A caneta serve para _escrever_.

1. Este livro serve para _____ português.
2. A máquina fotográfica serve para _____ fotografias.
3. As cabines telefónicas servem para _____ .
4. O dicionário serve para _____ o significado das palavras.
5. A câmara de vídeo serve para _____ .

Oralidade 6

Exemplo: | É mais fácil _viver_ em Lisboa. |

1. É bom _____ de férias.

2. _____ faz mal à saúde.

3. É importante _____ línguas.

4. _____ a pé faz bem.

5. Com o credifone é mais fácil _____ .

Oralidade 7 🔲

Exemplo: | Não *deitar* lixo no chão. |

1. É favor _____ a porta.

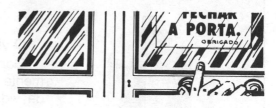

2. Não _____ .

3. _____ à mão.

4. Não _____ barulho!

5. É favor _____ à campainha.

Texto

Mobiliário urbano

O vidrão

Garrafas e frascos vazios são aí lançados diaria-mente. É uma maneira de aproveitar estes recipientes de vidro, pois posteriormente são reciclados para a fabricação do vidro.

A coluna publicitária

As colunas publicitárias servem para anunciar e também nos dão todas as informações sobre espectáculos e iniciativas de carácter cultural a decor-rer em Lisboa.

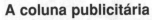

A placa de sinalização

As placas de sinalização indicam-nos a direcção dos monumentos e das principais ruas, avenidas e praças.

O painel

Há dois tipos de painéis:

1) os que contêm informações úteis de toda a espécie, por exemplo, a quem recorrer em caso de intoxicação;

2) os que servem para anunciar. Estes últimos têm normalmente no verso a planta da cidade de Lisboa.

Mobiliário urbano

A cabine telefónica
Modernas e funcionais, as novas cabines telefónicas estão já adaptadas ao credifone. Com o credifone é mais fácil telefonar.

A paragem de autocarro
As paragens de autocarro, com uma cor mais discreta
– verde-escuro –, são cobertas e até têm banquinhos.
Afixado numa placa de vidro está o horário das carreiras
de autocarros.

 — **Vamos lá escrever!**

Compreensão

1. Que destino é dado ao conteúdo dos vidrões?

2. Que tipos de mensagem escrita se podem encontrar nas colunas publicitárias?

3. Para que servem as placas de sinalização?

4. Indique os dois tipos de painéis a que o texto se refere.

5. Porque é que se diz que com o credifone é mais fácil telefonar?

Escrita 1

Exemplo:

1. a) O Jorge emprestou **os catálogos ao Nuno**.
                                 b)   c)
                          ——> d) <——

b) *O Jorge emprestou-os ao Nuno.*
c) *O Jorge emprestou-lhe os catálogos.*
d) *O Jorge emprestou-lhos.*

2. a)   Os turistas perguntaram **a direcção ao Jorge**.
                              b)   c)
                       ——> d) <——

b) _____.
c) _____.
d) _____.

3. a)   A D. Helena trouxe **os bilhetes para mim**.
                            b)   c)
                       ——> d) <——

b) _____.
c) _____.
d) _____.

4. a)   A avó São já mandou **a encomenda para ti**.
                               b)   c)
                       ——> d) <——

b) _____.
c) _____.
d) _____.

5. a)   Vou mostrar **o quarto à Inês**.
                       b)   c)
                ——> d) <——

b) _____.
c) _____.
d) _____.

6. a)   Eles contaram **essa história a mim**.
                         b)   c)
                  ——> d) <——

b) _____.
c) _____.
d) _____.

Escrita 2

Para que é que serve?

1. A cabine telefónica *serve para telefonar* _____ .

2. As colunas publicitárias _____ e _____ .

3. A placa de sinalização_____ .

4. Os painéis _____ e _____ .

5. O vidrão _____ .

Sumário

Objectivos funcionais

Dar instruções	«Lavar à mão.»
Dar ordens	«Não deitar lixo no chão.»
Expressar finalidade	«(...) as colunas publicitárias (...) servem para anunciar.»

Vocabulário

Substantivos e adjectivos:

o banquinho	o credifone	igual (adj.)	a placa de sinalização
o barulho	o destino	a intoxicação	próprio (adj.)
a cabine telefónica	discreto (adj.)	o lixo	o recipiente
a câmara de vídeo	a fabricação	o mobiliário urbano	vazio (adj.)
o catálogo	o frasco	o painel	o verso
a coluna publicitária	a garrafa	o painel informativo	o vidrão
o conteúdo	o horário	a placa	

Expressões:

É favor			

Verbos:

afixar	conter	estacionar	recorrer
anunciar	decorrer	lançar	renovar
aproveitar	deitar	levar	reparar
arranjar	descrever	reciclar	viver
assinalar	emprestar		

145

«Vê lá se te esqueces!»

Áreas gramaticais/Estruturas

Substantivos colectivos

Advérbios em **-mente**

Advérbios: **assiduamente, nomeadamente, novamente, simplesmente**

Locuções prepositivas: **cerca de**

146

Diálogo

Jorge: Ó Nuno! Trouxeste-me a cassete vídeo que te emprestei?

Nuno: Trago-ta amanhã. Hoje não tive tempo de ir buscá-la a casa.

Jorge: Vê lá se te esqueces! É muito importante. Preciso de vê-la novamente para preparar o material sobre a emigração açoriana.

Nuno: Esse é um assunto muito interessante. A comunidade portuguesa da América engloba emigrantes da Terceira, S. Jorge, Pico, Faial e Flores.

Jorge: De facto é quase na totalidade constituída por imigrantes vindos do arqui-pélago dos Açores.

Nuno: Actualmente fala-se já em cerca de um milhão de portugueses e descenden-tes de portugueses nos Estados Unidos.

Jorge: É verdade. A presença portuguesa na América do Norte tem já uma longa tradição. Tudo começou por volta de 1820 com o recrutamento de mão-de--obra açoriana para os barcos baleeiros dos Estados Unidos.

 # — Vamos lá falar!

Apresentação 1

A

Advertir	
Vê	
Veja } lá	se + presente do indicativo + ! (1)
Vejam	não + imperativo + ! (2)

B

Situação	Advertência
O João precisa da cassete vídeo que emprestou ao Nuno.	Jorge: 1. Vê lá se te esqueces! 2. Vê lá não te esqueças!

Oralidade 1

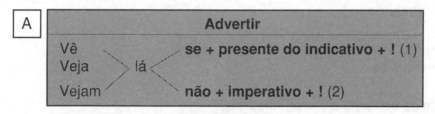

Exemplo: Preciso da cassete amanhã.
(tu) / esquecer-se

Vê lá não te esqueças!

1. O jantar é às oito, meninos.
   (vocês) / chegar tarde

   _____ !

2. A água está a ferver.
   (tu) / queimar-se

   _____ !

147

3. A directora quer vê-la dentro de cinco minutos, D. Helena.

(você) / demorar-se

Veja là não se demore !

4. O meu número de telefone foi alterado.

(tu) / enganar-se

Vê là não te enganes !

5. Estão aqui 10.000$00 para as compras.

(vocês) / gastar tudo

Vejam là não gastem todo !

Oralidade 2 🔲

Exemplo:	Preciso da cassete amanhã. (tu) / esquecer-se *Vê lá se te esqueces!*

1. Tem cuidado com a faca, Nuno.

(tu) / cortar-se

Vê là se te cortas !

2. O senhor doutor tem de estar no aeroporto às sete em ponto.

(o senhor) / atrasar-se

Veja là se se atrasa !

3. Ó avó, é melhor fechar a janela!

(você) / constipar-se

Veja là se se constipa !

4. Não desçam as escadas a correr, meninos.

(vocês) / cair

Vejam là se caem !

5. Vens comigo, Inês? Olha que estou cheia de pressa.

(tu) / despachar-se

Vê là se te despachas !

Apresentação 2

Substantivos colectivos
• Palavras que, no singular, indicam muitas pessoas (1) ou coisas (2).

Oralidade 3 🔲

1. Na minha **turma** somos doze alunos.

2. O **arquipélago** dos Açores é constituído por nove ilhas.

Oralidade 4

Exemplo: Um conjunto de *músicos é uma* orquestra.

1. Um conjunto de _Futebolistas_ _é uma_ **equipa**.

2. Um conjunto de _casas é um_ **casario**.

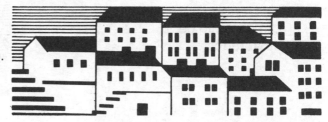

3. Um conjunto de _____ **mobília**.

4. Um grupo de _alunos é uma_ **turma**.

5. Um conjunto de _letras é um_ **abecedário**.

abcdefghijk
lmnopqrst
uvwxyz

6. Um grande número de *pessoas* *gente*
   multidão.

7. Um conjunto de _____ **cacho**.

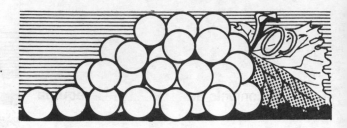

8. Um conjunto de _____
   assistência.

9. Um conjunto de *ilhas é um*
   arquipélago.

10. Um conjunto de _____
    tripulação.

Apresentação 3

A	Advérbios em –mente
	•Formam-se a partir do adjectivo no feminino singular a que se acrescenta o sufixo **–mente**.

B	Adjectivo	Advérbio
	novo	nova **mente** (1)
	diário	diaria **mente** (2)
	actual	actual **mente** (3)
	recente	recente **mente** (4)
	simples	simples **mente** (5)

N.B.:

	Flexão dos adjectivos			
	singular		plural	
	masculino	**feminino**	masculino	feminino
variáveis	novo diário	nova diária	novos diários	novas diárias
	actual recente		actuais recentes	
invariáveis	simples			

Oralidade 5

1. Preciso de ver a cassete **novamente**.
2. Este jornal é publicado **diariamente**.
3. **Actualmente** há cerca de um milhão de portugueses nos Estados Unidos.
4. O Nuno e o Jorge estiveram na Madeira **recentemente**.
5. Dei-lhe **simplesmente** uma flor.

Oralidade 6

Exemplo: Eu *raramente* vejo televisão. (*raro*)

1. O Nuno fala inglês _correctamente_ (*correcto*)

2. _normalmente_ passam os fins-de-semana no campo. (*normal*)

3. Ninguém me disse _absolutamente_ nada. (*absoluto*)

4. Vem cá _imediatamente_. (*imediato*)

5. O espectáculo agradou _principalmente_ às crianças. (*principal*)

6. O Dr. Vilar vai _frequentemente_ ao estrangeiro. (*frequente*)

7. A Inês saiu da faculdade e foi _directamente_ para casa. (*directo*)

8. O Dr. Silva vive _presentemente_ no Porto. (*presente*)

9. _Ultimamente_ não tenho visto o Jorge. (*último*)

10. Gostaria de saber _concretamente_ o motivo desta reunião. (*concreto*)

Oralidade 7 🖭

> **Exemplo:** | **Na realidade** hoje está muito calor.
> *Realmente* hoje está muito calor.

1. A avó São vai **com frequência** ao cinema.
   frequentemente

2. O Jorge é **na verdade** um bom jornalista.
   verdadeiramente

3. Esta revista é publicada **todas as semanas**.
   semanalmente?

4. A Inês fala francês **com fluência**.
   fluentemente

5. Fizeram todos os exercícios **com correcção**.
   correctamente

6. **Segundo a lei** não se pode construir neste terreno.
   Legalmente

7. Leiam o texto **em silêncio**.
   silenciosamente

8. Ouçam **com atenção** o que lhes vou dizer.
   atentamente

9. **Na aparência** está tudo a correr bem.
   aparentemente

10. Vou falar-te **com toda a franqueza**.
    francamente

Texto

O arquipélago dos Açores, situado em pleno Atlântico entre a América do Norte e a Europa, é constituído por três grupos de ilhas vulcânicas, num total de nove, que alguns investigadores apontam como vestígios da lendária Atlântida.

Pensa-se que o nome **Açores** se ficou a dever às aves de rapina, assim chamadas, que aí existiam por altura do seu descobrimento no século XV.

Devido ao seu clima temperado, os Açores têm uma flora exótica e uma fauna variada. Nas águas do arquipélago são frequentes várias espécies de cetáceos, nomeadamente o golfinho, o cachalote e, menos assiduamente, a baleia.

Os baleeiros açorianos tinham fama de ser hábeis e corajosos. Esta actividade, com cerca de duzentos anos de existência, esteve na origem da emigração açoriana para a América do Norte.

A presença portuguesa nos Estados Unidos tem já uma longa tradição — data de 1820 — e actualmente podem encontrar-se portugueses ou descendentes de portugueses — na maioria açorianos — em diversos ramos do comércio e da indústria.

 # — Vamos lá escrever!

Compreensão

1. Diga onde se situa o arquipélago dos Açores, quantas ilhas o constituem e qual a sua origem.

   em pleno Atlântico   nove

2. A que se deve o nome *Açores* dado ao arquipélago?

   às aves de rapina que ali existiam

3. O que é que esteve na origem da emigração açoriana para a América do Norte?

   a habilidade dos baleeiros açorianos

4. Porque é que se diz que a presença portuguesa nos Estados Unidos tem uma longa tradição?

   data de 1820

5. Em que ramos de actividade está inserida a comunidade portuguesa nos E.U.A.?

   comércio e indústria

Escrita 1 🔲

Substitua nas frases seguintes a expressão destacada pelo advérbio terminado em **-mente** que lhe corresponde.

> **Exemplo:** Preciso de ver a cassete **de novo**.
> *Preciso de ver a cassete novamente.*

1. Os baleeiros açorianos são **na realidade** muito corajosos.

   realmente

2. A Inês acabará o curso **em breve**.

   brevemente

3. **Por fim** decidiram fazer uma reportagem sobre os Açores.

   finalmente

4. A nova revista vai ser publicada **de imediato**.

   imediatamente

5. O trabalho da Guida foi feito **com cuidado**.

   cuidadosamente

Escrita 2 🔲

Altere as frases seguintes, sem lhes modificar o sentido. Comece como indicado.

> **Exemplo:** O arquipélago dos Açores é constituído por nove ilhas.
> Nove ilhas *constituem o arquipélago dos Açores.*

1. Essas ilhas são apontadas por alguns investigadores como vestígios da antiga Atlântida.
   Alguns investigadores _alguns investigadores apontam a essas ilhas..._

2. Devido ao seu clima temperado, os Açores têm uma flora exótica e uma fauna variada.
   A flora exótica e a fauna variada dos Açores _são devidas ao seu clima..._

3. Nas águas do arquipélago podem ver-se várias espécies de cetáceos.
   Várias espécies de cetáceos _se vem nas águas do arquipélago_

4. Habilidade e coragem não faltavam aos baleeiros açorianos.
   Os baleeiros açorianos eram _hábeis e corajosos_

5. Os baleeiros açorianos eram recrutados pelas companhias americanas.
   As companhias americanas _recrutavam baleeiros açorianos_

Sumário

Objectivos funcionais

Advertir	«Vê lá se te esqueces!»
	«Vê lá não te esqueças!»
Definir (colectivos)	«Um conjunto de músicos é uma orquestra.»

Vocabulário

Substantivos e adjectivos:

o abecedário	a coragem	a franqueza	o material
açoriano (adj.)	corajoso (adj.)	a frequência	a mobília
a assistência	a correcção	frequente (adj.)	o motivo
a Atlântida	a criança	hábil (adj.)	a multidão
a ave de rapina	o descendente	a habilidade	o músico
o baleeiro	directo	imediato (adj.)	normal (adj.)
a baleia	a emigração	o imigrante	presente (adj.)
breve (adj)	o emigrante (adj.)	a indústria	o ramo
o cachalote	a escada	interessante (adj.)	a realidade
a cassete	exótico	o investigador	o recrutamento
o cetáceo	a faca	a lei	temperado (adj.)
o comércio	a fauna (adj.)	lendário (adj.)	a totalidade
a comunidade	a flora	a maioria	o vestígio
concreto	a fluência	a mão-de-obra	

Expressões:

estar cheio de pressa	estar na origem de	por fim	

Verbos:

agradar	cortar-se	englobar	queimar-se
alterar	datar (de)	ferver	recrutar
constipar-se	demorar-se	inserir	

«Eu por mim vou.»

Áreas gramaticais/Estruturas

Particípios duplos

Advérbios: **exclusivamente, ultimamente**

Diálogo

Jorge: Então, sempre vamos à tourada?

Nuno: Eu por mim vou. Sou um grande aficionado.

Inês: Eu cá não aprecio muito esse tipo de espectáculo: é selvagem e sangui-nário.

Nuno: Isso é do ponto de vista do animal.

Inês: Não concordo. O que se faz ao touro é uma barbaridade mas, por vezes, os toureiros, os cavaleiros e principalmente os forcados também saem ma-goados.

Nuno: Estás muito pessimista. Não tem havido acidentes ultimamente e os que houve contam-se pelos dedos.

Inês: Olha que não é tanto assim. Grandes toureiros e cavaleiros têm morrido em plena arena, vítimas de uma colhida mortal.

Nuno: Mas felizmente nem toda a gente pensa como tu e por isso é que tourada em Portugal tem muitos aficionados.

Jorge: Afinal vens ou não vens connosco?

Inês: Acho que vou ficar em casa a ver a série que dá à quinta-feira.

 ## — Vamos lá falar!

Oralidade 1

Exemplo:
> – Vamos à tourada?
>
> – *Eu por mim vou.*

1. – Querem uma fatia deste bolo?

   – *eu por mim quero* .

2. – Bebes um café?

   – *eu por mim bebo* .

3. – Gostaram do espectáculo?

   – _____ .

4. – Podes ficar até tarde?

   – *eu por mim podo* .

5. – Saímos hoje à noite?

   – *eu por mim saio* .

6. – Ficamos em casa?

   – *eu por mim fico* .

7. – Ias viver para o estrangeiro?

   – _____ .

8. – Tomam qualquer coisa?

   – _____ .

9. – Vimos de comboio?

   – *eu por mim vim* .

10. – Jantamos fora?

    – *eu por mim janto* .

Oralidade 2 ▭

Exemplo:	– Vamos à tourada?
	– Eu cá vou.
	– Eu cá não vou.

1. – Bebem mais uma cerveja?

   – _____.

   – _____.

2. – Fizeram o trabalho de casa?

   – _____.

   – _____.

3. – Trouxeram as fotografias?

   – _____.

   – _____.

4. – Viram o filme de ontem na televisão?

   – _____.

   – _____.

5. – Ouviram as notícias?

   – _____.

   – _____.

6. – Lêem o jornal todos os dias?

   – _____.

   – _____.

7. – Querem um bocadinho deste doce?

   – _____.

   – _____.

8. – Trouxeram o livro?

   – _____.

   – _____.

9. – Vêm cá amanhã?

   – _____.

   – _____.

10. – Vêem sempre a telenovela?

   – _____.

   – _____.

Apresentação 1

Particípios duplos		
	regular (com o auxiliar **ter**)	irregular (com os auxiliares **ser** e **estar**)
aceitar	aceitado	aceite
acender	acendido	aceso
descalçar	descalçado	descalço
eleger	elegido	eleito
entregar	entregado	entregue
matar	matado	morto
morrer	morrido	morto
prender	prendido	preso
salvar	salvado	salvo
secar	secado	seco

N.B.: O particípio **regular** é **invariável**.

O particípio **irregular** é **variável** (concorda em género e número com o sujeito).

Oralidade 3 [▭]

1. As sugestões **foram aceites.**
   De facto, os professores **têm aceitado** bem as sugestões.
2. A Inês **foi eleita** para a Associação de Estudantes.
   No ano passado **tinham elegido** a Joana.

Oralidade 4 [▭]

1. – Eu não tinha _____ o cão!
   – Pois não. Mas agora está _____ . (*prender*)
2. – Saí de casa sem ter _____ o cabelo.
   – Agora já está _____ . (*secar*)
3. – Já tinham _____ as crianças quando os bombeiros chegaram.
   – Sim, foram _____ por um rapaz de dezoito anos. (*salvar*)
4. – Não tinhas _____ as luzes do jardim?
   – Tinha! Porquê? Não estão _____ ? (*acender*)
5. – Os documentos já foram _____ ?
   – Sim, sim. Ele já os tinha _____ quando lhe perguntei. (*entregar*)

Oralidade 5 [▭]

Exemplo: | Grandes toureiros têm ***morrido*** em plena arena. (*morrer*)

1. Eles têm _____ bem as nossas propostas. (*aceitar*)
2. A luz está _____ . (*acender*)
3. Não estejam _____ nesse chão frio! (*descalçar*)
4. Ele foi _____ para a presidência do clube. (*eleger*)
5. As encomendas são _____ ao domicílio. (*entregar*)
6. Em Espanha o touro é _____ na arena. (*matar*)
7. Quando ela chegou ao hospital, já estava _____ . (*morrer*)
8. O ladrão foi _____ em flagrante. (*prender*)
9. Os bombeiros têm _____ muita gente. (*salvar*)
10. A roupa ainda não está _____ . (*secar*)
11. Julgava que já tinhas _____ a cassete ao Jorge. (*entregar*)
12. As nossas condições foram _____ . (*aceitar*)
13. Eles foram _____ por uma equipa de socorro. (*salvar*)
14. Ficou muito contente quando soube que o tinham _____ para presidente. (*eleger*)
15. Tinha _____ os sapatos para estar mais à vontade. (*descalçar*)

Texto

A corrida à portuguesa é um espectáculo colorido, de características populares e com uma longa tradição.

A corrida de toiros começa por ser uma diversão para os nobres, que mostravam assim a sua arte de bem cavalgar ao enfrentar o toiro a cavalo.

Desenvolve-se portanto o toureio equestre em Portugal com cavaleiros inesquecíveis como os mestres João Núncio e Simão da Veiga.

Mas, ao espectáculo tauromáquico português, vai juntar-se a pega, que consiste na oposição frontal, de mãos vazias, do homem ao toiro, uma demonstração de coragem e valentia desconhecida em qualquer outra parte do mundo.

A proibição (em 1932) de matar os toiros em plena arena veio retirar a esta forma de toureio – dizem os aficionados – alguma da sua beleza e nobreza: o confronto homem-fera deixa de ser um duelo de morte e o toiro, em vez de ser morto em público, é abatido, horas depois, no matadouro.

— # Vamos lá escrever!

Compreensão

1. Que tipo de espectáculo é a corrida à portuguesa?

_____

2. Refira-se à origem do toureio equestre em Portugal.

_____

3. Quem foram João Núncio e Simão da Veiga?

_____

4. Porque é que se diz que a pega é «uma demonstração de coragem e valentia»?

_____

5. Qual é a opinião dos aficionados sobre a proibição de matar os toiros em plena arena?

_____

Escrita 1

Complete o quadro.

	Substantivo	Adjectivo
1	a cor	colorido
2	tradição	tradicional
3	coragem	corajoso
4	valentia	valente
5	beleza	belo
6	o povo	popular
7	diversão	divertido
8	a tauromaquia	tauromaquia
9	proibição	proibido
10	arte	artístico

Escrita 2

Complete as seguintes frases de acordo com o texto.

1. A corrida à portuguesa é um espectáculo que tem _____
_____

2. Antigamente os nobres enfrentavam_____
para assim _____

3. A pega, que é um espectáculo exclusivamente _____ ,
é, sem dúvida, uma _____

4. Até 1932 _____

5. Hoje em dia os toiros já não _____ ,
mas sim _____

Sumário

Objectivos funcionais

Certificar-se	«Então, sempre vamos à tourada?»
Discordar	«Não concordo.»
Expressar desagrado	«Eu cá não aprecio muito esse tipo de espectáculo.»
Expressar opinião	«Eu por mim vou»
	«Eu cá vou.»
	«Eu cá não vou.»
Exprimir decisão	«Acho que vou ficar em casa (...)»
Pedir informação sobre decisão	«Afinal vens ou não vens connosco?»

Vocabulário

Substantivos e adjectivos:

o aficionado	a diversão	o matadouro	sanguinário (adj.)
a arena	o doce	o mestre	selvagem (adj.)
a barbaridade	o domicílio	mortal (adj.)	a tauromaquia
belo (adj.)	o duelo	a morte	tauromáquico (adj.)
a característica	equestre (adj.)	o nobre	a telenovela
o cavaleiro	a equipa de socorro	a nobreza	a tourada
o cavalo	a fera	a oposição	o toureio
a colhida	o forcado	a pega	o toureiro
a condição	frontal (adj.)	pessimista (adj.)	o touro (o toiro)
o confronto	o homem	a presidência	valente (adj.)
a corrida	inesquecível (adj.)	a proibição	a valentia
a demonstração	magoado (adj.)	proibido (adj.)	a vítima

Expressões:

contar pelos dedos	de mãos vazias	em flagrante	em público

Verbos:

abater cavalgar consistir (em)	descalçar desenvolver-se eleger	enfrentar julgar matar	prender salvar secar

«Em chegando o Carnaval, as pessoas andam mascaradas na rua.»

Áreas gramaticais/Estruturas

Gerúndio

ser vs. **estar**

Advérbios: **mundialmente, vivamente**

Diálogo

Inês: Então vó, está ou não está a gostar?

Avó São: Estou. Sabes que eu sou uma pessoa alegre e alegria é o que não falta.

Mãe: Pois é. O Carnaval aqui em Loulé é dos mais espectaculares do país. Até tem «mulatinhas» bem à brasileira!

Nuno: Mas não compare com o Carnaval do Rio: só o desfile de uma Escola de Samba engloba cerca de cinco mil figurantes com os seus fatos riquíssimos e carros alegóricos que valem verdadeiras fortunas.

Mãe: Claro que não se pode comparar, mas olha que o nosso é bem divertido. Em chegando o Carnaval, as pessoas andam mascaradas na rua, as crianças acham imensa graça aos *cabeçudos*...

Pai: Quando eu tinha a vossa idade, eram quatro dias de folia: bailes de máscaras, *assaltos*... eu sei lá!

 # — Vamos lá falar!

Oralidade 1

> **Exemplo:** – Então, está ou não a gostar?
>
> – *Estou, estou.*

1.– Então, vais ou não vais connosco a Loulé?

– _____ , _____ .

2.– Então, sabe ou não sabe o que é um *cabeçudo*?

– _____ , _____ .

3.– Então, trazes ou não trazes as serpentinas?

– _____ , _____ .

4.– Então, queres ou não queres ir ao baile?

– _____ , _____ .

5.– Então, foste ou não foste ao *assalto?*

– _____ , _____ .

6.– Então, viu ou não viu o desfile?

– _____ , _____ .

7.– Então, leu ou não leu o artigo?

– _____ , _____ .

8.– Então, tem ou não tem tempo?

– _____ , _____ .

9.– Então, fazes ou não fazes a festa?

– _____ , _____ .

10.– Então, pões ou não pões a máscara?

– _____ , _____ .

Apresentação 1

ser	vs.	estar
• Qualidade ou característica permanente (1)		• Condição temporária (1)
• Localização espacial permanente (sujeito fixo) (2)		• Localização espacial temporária (sujeito móvel) (2)
• Tempo cronológico (3)		• Tempo climatérico (3)

Oralidade 2 📼

1. A avó São **é** uma pessoa alegre, mas hoje **está** triste.

2. Loulé **é** no Algarve. O Nuno **esteve** em Loulé nas férias do Carnaval.

3. Hoje **é** terça-feira de Carnaval. O dia hoje não **está** nada frio.

Oralidade 3 📼

> **Exemplo:** A avó São *é* muito alegre, mas hoje *está* um pouco triste.

1. A Inês_____uma rapariga saudável, mas na semana passada _____ doente.

2. Os amigos do Nuno_____no Rio de Janeiro. O Rio de Janeiro_____no Brasil.

3. _____ oito horas da manhã e já _____ tanto calor.

4. Neste restaurante a comida costuma _____ boa, mas ontem o bacalhau_____ muito salgado.

5. A D. Helena_____ muito faladora, mas hoje tem _____ muito calada.

Oralidade 4 📼

1. O vinho do Porto _____ mundialmente famoso.

2. A avó São _____ muito constipada.

3. A farmácia _____ mesmo ao lado da escola.

4. Ultimamente a água do mar tem _____ muito fria.

5. As lojas _____ abertas à hora do almoço.

6. Este filme deve _____ muito interessante.

7. O Dr. Vilar costuma _____ no escritório até tarde.

8. _____ meia-noite quando chegámos a casa.

9. Fui lá, mas não _____ ninguém em casa.

10. Acho que amanhã vai _____ bom tempo.

Apresentação 2

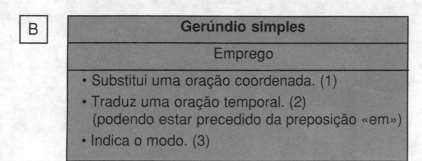

A	Verbos terminados em:		
	-ar	**-er**	**-ir**
Infinitivo	falar	dizer	subir
Gerúndio	fal**ando**	diz**endo**	sub**indo**

B	**Gerúndio simples**
	Emprego
	• Substitui uma oração coordenada. (1)
	• Traduz uma oração temporal. (2) (podendo estar precedido da preposição «em»)
	• Indica o modo. (3)

Oralidade 5

1. As pessoas vão para a rua, **dando** largas à sua alegria.
   (= As pessoas vão para a rua e dão largas à sua alegria.)
2. Em **chegando** o Carnaval, as pessoas mascaram-se.
   (= Quando chega o Carnaval, as pessoas mascaram-se.)
3. A avó São ouvia, **sorrindo**, as histórias do Nuno.
   (= A avó São ouvia com um sorriso as histórias do Nuno.)

Oralidade 6

Exemplo:	**Quando chego a casa**, abro logo a televisão.
	(Em) chegando a casa, abro logo a televisão.

1. Assaltaram a casa **e levaram todos os valores**.
   Assaltaram a casa _____ .
2. O homem, **quando viu o carro**, parou.
   O homem, _____ , parou.
3. Junte o açúcar, a manteiga e os ovos **e misture tudo muito bem**.
   Junte o açúcar, a manteiga e os ovos _____ .
4. O Carnaval de Loulé é dos mais divertidos **e não faltam as «mulatinhas» à brasileira**.
   O Carnaval de Loulé é dos mais divertidos _____ .
5. Toda a gente participa, **a cantar e a dançar** ao ritmo da música.
   Toda a gente participa _____ ao ritmo da música.

Texto

Chegando o Carnaval, as pessoas saem para a rua, dando largas à sua alegria. Um pouco por todo o país festeja-se o Entrudo. O povo assiste ao desfile do corso e, por vezes, participa mascarando-se, dançando e cantando ao ritmo do samba.

Torres Vedras
Torres Vedras investiu bem este ano no seu Carnaval e valeu a pena! O público correspondeu em peso e, assim, teve oportunidade de ver o belo corso.

Tomar
Em Tomar também a festa foi animada com jovens e adultos a participarem vivamente. Dois artistas brasileiros foram o par real dos festejos.

Loulé
Em Loulé o bom tempo ajudou à festa e, mais uma vez, se provou que o Carnaval algarvio é dos mais espectaculares do país.   Portugueses e brasileiros, de mãos dadas na folia, cantavam: «Não é Carnaval do Rio   De Nice também não é   É Carnaval algarvio   Tradicional em Loulé»

Ovar
Muita alegria e cor marcaram o Carnaval de Ovar. Sob o comando de um rei português, os ovarenses mostraram como é um Entrudo bem à portuguesa.

— Vamos lá escrever!

Compreensão

1. O que é que se faz em Portugal para festejar o Entrudo?

_____

2. Que género de música acompanha os festejos do Carnaval?

_____

3. Explique o sentido da expressão «E valeu a pena!» na notícia sobre o Carnaval de Torres Vedras.

_____

4. Quem foram as principais figuras do Carnaval de Tomar e de Ovar?

_____

5. Explique o sentido da expressão «de mãos dadas na folia» na notícia sobre o Carnaval de Loulé.

_____

Escrita 1

Faça perguntas para obter como resposta a parte sublinhada da frase.

1. **Em chegando o Carnaval**, as pessoas mascaram-se e vão para as ruas.

_____?

2. **Muita alegria e cor** marcaram o Carnaval de Ovar.

_____?

3. Torres Vedras investiu bem **no seu Carnaval**.

_____?

4. As pessoas participam **cantando e dançando ao ritmo do samba**.

_____?

5. **Dois artistas brasileiros** foram o par real dos festejos em Tomar.

_____?

Escrita 2

A Passe a introdução do texto para o **pretérito perfeito simples**.

Chegando o Carnaval, _____

_____

_____

_____ ao ritmo do samba.

B Passe o artigo «Torres Vedras» para o **futuro**.

_____

_____

_____

_____

C Passe o artigo «Tomar»para o **condicional.**

_____

_____

_____

_____

Sumário

Objectivos funcionais

Concordar	«Pois é.»
Indicar o modo	«A avó São ouvia, sorrindo, as histórias do Nuno.»
Pedir informação sobre decisão	«Então vó, está ou não está a gostar?»
Reforçar uma resposta afirmativa	«Estou, estou.»

Vocabulário

Substantivos e adjectivos:

alegre (adj.)	constipado (adj.)	Loulé	rico (adj.)
a alegria	o corso	a máscara	salgado (adj.)
o assalto	o desfile	a mulatinha	o samba
o baile	o Entrudo	Nice	a serpentina
o baile de máscaras	espectacular (adj.)	a notícia	o sorriso
o cabeçudo	a expressão	Ovar	Torres Vedras
calado (adj.)	falador (adj.)	o ovarense	verdadeiro (adj.)
o Carnaval	o figurante	o par	
o carro alegórico	a folia	real (adj.)	
o comando	a fortuna	o rei	

Expressões:

correponder em peso	dar largas (a)	de mãos dadas	Eu sei lá!

Verbos:

comparar (com) investir (em)	marcar mascarar-se	misturar provar	sorrir

«(...) vocês vão andando que eu vou lá ter (...)»

Áreas gramaticais/Estruturas

Conjunção perifrástica: **ir + gerúndio**

Derivação por sufixação: **-aria**

Advérbios: **definitivamente, geralmente**

Diálogo

Nuno:	Sempre vamos à Feira da Ladra no sábado de manhã?
Inês:	Claro! Já está tudo combinado. A Guida traz umas velharias que eram da avó e eu vou hoje à noite para o sótão escolher umas coisas.
Jorge:	Eu também vou com vocês, mas não vou vender nada. Vou lá dar uma volta e... quem sabe... sou capaz de comprar alguma coisa

....

Na Feira da Ladra

Inês:	Já compraram tudo o que queriam comprar?
Jorge:	Eu comprei este blusão de pele e estas botas da tropa em segunda mão. Foi tudo uma pechincha.
Nuno:	E enquanto regateavas o preço, eu encontrei aquilo que queria: uma espingarda de caça submarina impecável.
Jorge:	E vocês? Venderam as velharias todas que trouxeram?
Guida:	Olha que já vendi muita coisa. Com o dinheiro que fiz até podíamos ir todos almoçar fora.
Jorge:	Podíamos, não. Podemos! Estou cá com uma fome!
Inês:	Então vão andando para a cervejaria que nós já vamos lá ter.

 — Vamos lá falar!

Oralidade 1

Exemplo:	– Vocês já ___*compraram*___ tudo o que ___*queriam comprar*___? (*comprar*) – Ainda não.

1. – Tu já _____ tudo o que _____ ? (*ver*)
   – Já, sim senhor.

2. – A senhora já _____ tudo o que _____ ? (*fazer*)
   – Quase tudo.

3. – Vocês já _____ tudo o que_____ ? (*vender*)
   – Ainda não.

4. – O senhor já_____ tudo o que _____ ? (*dizer*)
   – Já, já.

5. – Tu já _____ tudo o que _____ ? (*estudar*)
   – Quase tudo.

6. – A avó já _____ tudo o que _____ ? (*comprar*)
   – Já, minha filha.

7. – Os senhores já _____ tudo o que _____ ? (*pedir*)
   – Não, ainda não.

8. – Tu já _____ tudo o que _____ ? (*ler*)
   – Já sim.

9. – O Nuno, já _____ tudo o que _____ ? (*escrever*)
   – Não, não.

10. – Vocês já _____ tudo o que _____ ? (*ouvir*)
    – Já, já.

Apresentação 1

Formação de palavras		
Significado	Sufixo	Exemplos
estabelecimento de venda	**-aria**	cerveja**aria** frut**aria** gelad**aria** lavand**aria** leit**aria** livr**aria** merce**aria** ourives**aria** pad**aria** papel**aria** pastel**aria** peix**aria** perfum**aria** sapat**aria** tabac**aria**

Oralidade 2

1. Na _____ vendem-se jornais, revistas e tabaco.
2. Esta _____ tem uns bolos óptimos.
3. A Inês gosta de estar sentada na esplanada da _____ a comer um bom gelado.
4. A avó São vai sempre à mesma _____ comprar fruta.
5. O Dr. Vilar foi à _____ e comprou um perfume para oferecer à mulher.
6. Na _____ come-se marisco e bebe-se cerveja.
7. O Nuno gosta de saber as últimas novidades em livros; por isso vai muito às _____ .
8. Na _____ vende-se essencialmente material escolar e material para escritório.
9. Este fato só se pode limpar a seco. Tem de ir para a _____ .
10. Comprei estes sapatos em saldo numa _____ perto de casa.
11. Essa _____ tem sempre pão fresco, mesmo ao domingo.
12. Na _____ podemos comprar objectos de ouro e de prata.
13. Vou à _____ comprar leite e manteiga.
14. A D. Helena foi à _____ comprar um pacote de farinha, outro de açúcar e dois quilos de batatas.
15. A _____ do bairro, além de peixe fresco, tem também peixe congelado de óptima qualidade.

presentação 2

Acção durativa		
ir + gerúndio		
(eu)	vou	
(tu)	vais	andando
(você, ele, ela)	vai	escrevendo
(nós)	vamos	lendo
(vocês, eles, elas)	vão	

Oralidade 3

1. **Vai andando** que eu estou quase pronto.
2. **Vão chamando** o táxi que eu desço já.

Oralidade 4

Enquanto o professor não chega, os alunos...

1. *vão lendo o texto.* _____ (*ler / texto*)
2. _____ (*fazer / exercícios*)
3. _____ (*escrever / composição*)
4. _____ (*estudar / gramática*)
5. _____ (*preparar / lição*)
6. _____ (*ouvir / cassete*)

Oralidade 5

Enquanto a avó faz o almoço, a Inês...

1. *vai fazendo as camas.* _____ (*fazer / camas*)
2. _____ (*limpar / pó*)
3. _____ (*aspirar / alcatifa*)
4. _____ (*lavar / loiça*)
5. _____ (*pôr / mesa*)
6. _____ (*arrumar / sala*)

Oralidade 6

Senhor doutor, enquanto está na reunião, eu...

1. *vou arquivando os processos.* _____ (*arquivar / processos*)
2. _____ (*telefonar / clientes*)
3. _____ (*traduzir / carta*)
4. _____ (*preencher / impressos*)
5. _____ (*reler / relatórios*)
6. _____ (*tirar / fotocópias*)

Texto

A Feira da Ladra, que se realiza no Campo de Santa Clara todas as terças-feiras e sábados, é muito antiga. Começou por ser no Chão da Feira, junto ao Castelo de S. Jorge, daí passando para o Rossio e mais tarde para o Campo de Santana. Só em 1835 se viria a fixar definitivamente em Santa Clara.

Qualquer pessoa pode agarrar na sua tralha velha e ir vendê-la para a Feira da Ladra. De facto, lá pode encontrar-se toda a espécie de bricabraque, misturado com antiguidades, livros, revistas e discos usados, roupa e calçado em segunda mão, mobília, aparelhagens, etc.

Alguns vendedores têm as suas próprias bancas, mas a maioria estende uma manta no chão e sobre ela espalha os seus artigos. Os compradores costumam regatear os preços e, por vezes, conseguem-se boas pechinchas.

Esta feira lisboeta, realizada ao ar livre, é sempre muito concorrida, atraindo não só os alfacinhas como turistas nacionais e estrangeiros.

— Vamos lá escrever!

Compreensão

1. Onde e quando se realiza a Feira da Ladra?

_____

2. A feira realizou-se sempre nesse local? Justifique.

_____

3. Que tipo de artigos se podem encontrar nessa feira?

_____

4. Quem é que geralmente visita a Feira da Ladra?

_____

5. Explique o sentido das seguintes expressões do texto:

   a)   «tralha velha» (linha 5)

   _____

   b)   «regatear os preços» (linha 11)

   _____

   c)   «boas pechinchas» (linha 11)

   _____

   d)   «muito concorrida» (linha 12)

   _____

Escrita 1

Complete as seguintes frases de acordo com o texto.

1. Todas as terças e sábados _____
   no Campo de Santa Clara.

2. Na Feira da Ladra _____ : bricabraque,
   antiguidades, roupa, calçado em segunda mão, etc.

3. A maioria dos vendedores _____
   espalhando _____

4. Por vezes, conseguem-se _____
   regateando _____

5. Não só os alfacinhas _____
   a esta feira.

Escrita 2

Preencha o quadro pondo na coluna **A** o nome do estabelecimento e na coluna **B** os respectivos artigos listados abaixo.

> arroz, azeite, bijutarias, bolachas, cadernos, cosméticos, *dicionários*, iogurtes, jornais, lápis, *livros*, manteiga, morangos, peras, revistas, salgados, sandes, sapatos, ténis, tostas.

A

B

Estabelecimento	Artigos		
Livraria	*livros*	*dicionários*	enciclopédias
	botas		
		canetas	
			tabaco
		bananas	
	bolos		
			batatas
	leite		
		pão	
			perfumes

Sumário

Objectivos funcionais

Certificar-se	«Sempre vamos à Feira da Ladra no sábado de manhã?»
Expressar o aspecto durativo da acção	«(...) vão andando para a cervejaria (...)»
Expressar possibilidade	«(...) quem sabe (...)»
Expressar probabilidade	«(...) quem sabe... sou capaz de comprar alguma coisa.»
Reforçar uma resposta afirmativa	«Claro! Já está tudo combinado.»

Vocabulário

Substantivos e adjectivos:

a alcatifa	o Chão da Feira	a lavandaria	o pó
o alfacinha	o comprador	a leitaria	a prata
as antiguidades	congelado (adj.)	a loiça	a qualidade
o azeite	o cosmético	a manta	respectivo (adj.)
a bijutaria	a enciclopédia	a novidade	o Rossio
o blusão	escolar (adj.)	o objecto	o salgado
a bolacha	a espingarda	a ourivesaria	a sapataria
a bota	a Feira da Ladra	o ouro	a tabacaria
o bricabraque	a fotocópia	a papelaria	a tralha
a caça submarina	a frutaria	a pechincha	a tropa
o calçado	a geladaria	a peixaria	as velharias
o Campo de Santa Clara	o gelado	a pele	
o Campo de Santana	impecável (adj.)	a perfumaria	
a cervejaria	o iogurte	o perfume	

Expressões:

a seco	em segunda mão	... quem sabe...	ser concorrido
ar livre	por vezes		

Verbos:

arquivar	estender	regatear	traduzir
aspirar	fixar	reler	vender

I – Substitua as partes sublinhadas pelo pronome pessoal correspondente.

Exemplo: Deram **os bilhetes** **à D. Helena**.
a) *Deram-nos à D. Helena*.
b) *Deram-lhe os bilhetes*.
c) *Deram-lhos*.

1. O Nuno trouxe **a cassete** **para o Jorge**.

a) _____
b) _____
c) _____

2. O Dr. Vilar ofereceu **um perfume** **à mulher**.

a) _____
b) _____
c) _____

3. A avó São mostrou **as fotografias** **a mim**.

a) _____
b) _____
c) _____

4. A Guida traz **o livro** **para ti**.

a) _____
b) _____
c) _____

5. A Inês foi comprar **o jornal** **para mim**.

a) _____
b) _____
c) _____

II – Substitua as expressões em itálico por um advérbio em -mente.

1. Tenho de ir *de novo* ao supermercado. Esqueci-me de comprar leite.

2. O Dr. Vilar acabou a reunião e foi *de imediato* para casa.

3. *Nos últimos tempos* a Inês não tem saído porque está em época de exames.

4. *No início* a Feira da Ladra realizava-se junto ao Castelo de S. Jorge.

5. Por causa da sua profissão, o Nuno vai *com frequência* ao estrangeiro.

I – Complete com o gerúndio, o infinitivo ou o particípio passado do verbo entre parênteses.

1. Já te tinha _____ (*dizer*) que _____ (*fumar*) faz mal à saúde.
2. Toda a gente participa _____ (*cantar*) e_____ (*dançar*) nas ruas.
3. O Jorge foi_____ (*eleger*) pelos colegas para _____ (*representar*) o jornal no concurso.
4. Estes documentos têm de _____ (*ser*) _____ (*entregar*) hoje ao Dr. Vilar.
5. Vai _____ (*andar*) para a cervejaria que eu estou só a _____ (*acabar*) este trabalho.

IV – Qual a expressão correcta?

Claro	Eu por mim fico
Dei, sim senhor	Eu sei lá
É favor	Podíamos, não. Podemos
Eu cá gostei	Pois é
Eu cá não vou	Vê lá não te esqueças

1. – Sempre vamos à tourada?
   – _____ ! Já está tudo combinado.
2. – Ficamos em casa?
   – _____ . Hoje estou muito cansado.
3. – Gostaram do espectáculo?
   – _____ . Foi giríssimo.
4. – O Carnaval de Loulé é dos mais espectaculares.
   – _____ . Por isso é que atrai tanta gente.
5. – O que é que se pode comprar na Feira da Ladra?
   – Antiguidades, roupa, calçado, livros, revistas…. _____ !
6. – Trago-te a cassete amanhã.
   – _____ ! Preciso dela para a reunião.
7. – Ainda não deste as fotografias ao Jorge?
   – _____ . Dei-lhas ontem.
8. – O que é que diz aquele aviso ali ao fundo?
   – « _____ fechar a porta».
9. – Vamos ao cinema?
   – _____ . Prefiro ficar em casa.
10. – Podíamos ir ao teatro no domingo.
    – _____ ! Já comprei os bilhetes.

V – Complete com o verbo *ser* ou *estar* na forma correcta.

1. O escritório do Dr. Vilar _____ perto de casa.
2. Ultimamente o tempo tem_____ péssimo.
3. A comida que a avó São faz _____ sempre óptima.
4. Já _____ dez horas da noite e a Inês ainda não chegou a casa.
5. Na semana passada o Nuno _____ doente.

TESTE

— GRAMÁTICA

1. O Nuno _____ chegar, ainda nem despiu o casaco.

    a) teve de   b) acabou de   c) andou a   d) esteve a

2. Antigamente não _____ tanto trânsito.

    a) tem havido   b) tinha havido   c) havia   d) houve

3. A D. Helena _____ quinze anos quando conheceu o Dr. Vilar.

    a) tinha   b) terá   c) tem   d) teve

4. _____ meia-noite e meia quando a festa acabou.

    a) foi   b) é   c) eram   d) era

5. Nestes últimos dias _____ muito calor.

    a) têm estado   b) tem estado   c) tinha estado   d) tinham estado

6. _____ que vai chover?

    a) será   b) é   c) foi   d) seria

7. _____ muito de ir com vocês, mas não posso.

    a) gostei   b) gosto   c) gostaria   d) gostarei

8. É favor não _____ lixo para o chão.

    a) deite   b) deitem   c) deitar   d) deitará

9. Antes de _____ , vem falar comigo.

    a) saires   b) sairem   c) sais   d) sai

10. Esses artigos _____ pelo jornalista Jorge Martins.

    a) foram escritas   b) foram escritos   c) escreveram   d) foi escrito

. Quando ela _____ à estação, o comboio já _____ .

a) chegou … tem partido

b) tinha chegado … partiu

c) chegou … tinha partido

d) tem chegado … partiu

12. A Inês anda na faculdade _____ quatro anos.

a) em
b) de
c) desde
d) há

13. Já mostrei as fotografias ao Nuno. Mostrei- _____ ontem à noite.

a) lhas
b) lhos
c) lhes
d) lho

14. Vamos a uma cervejaria _____ dono é um amigo nosso.

a) onde
b) cujo
c) quem
d) qual

15. O empregado com _____ falei era muito simpático.

a) qual
b) que
c) cujo
d) quem

16. As luzes do jardim estão_____ .

a) acendido
b) acesas
c) aceso
d) acendem

17. Eles têm _____ bem as nossas propostas.

a) aceitado
b) aceitaram
c) aceites
d) aceite

18. A avó São vem hoje do Norte, _____ ?

a) pois não
b) não vai
c) não vem
d) não foi

19. O Dr. Vilar _____ uma pessoa calma, mas ultimamente tem _____ um

pouco nervoso.

a) está … sido
b) é … estado
c) está … estado
d) é … sido

20. Enquanto o professor não chega, os alunos _____ o texto.

a) vão lendo
b) têm lido
c) leram
d) vai lendo

B — VOCABULÁRIO

1. O Jorge trabalha num jornal. Ele é _____ .

   a) fadista   b) professor   c) jornalista   d) locutor

2. A mãe acabou de arrumar o quarto, mas as crianças já o _____ .

   a) desmontaram   b) desarrumaram   c) desfizeram   d) desligaram

3. O Nuno viaja muito. Está sempre a _____ e a desfazer as malas.

   a) fazer   b) levar   c) fechar   d) trazer

4. O Dr. Vilar foi ao _____ cortar o cabelo.

   a) dentista   b) barbeiro   c) merceeiro   d) electricista

5. O número de telefone que eu te dei estava _____ . Este é o número correcto.

   a) irregular   b) impossível   c) incorrecto   d) ilegal

6. Preciso de ler o texto _____ . Não compreendi bem a última parte.

   a) ultimamente   b) actualmente   c) presentemente   d) novamente

7. Hoje à noite _____ um bom filme na televisão.

   a) tem   b) dá   c) faz   d) mostra

8. A D. Helena costuma comprar fruta na _____ do bairro.

   a) mercearia   b) frutaria   c) peixaria   d) pastelaria

9. O senhor não _____ estacionar aqui. É proibido.

   a) deve   b) é capaz   c) pode   d) consegue

10. Eles vão aproveitar para _____ fotografias à Universidade de Évora.

    a) tirar   b) bater   c) fazer   d) tomar

. A avó São vai _____ os remédios que o médico lhe mandou.

a) beber   b) tomar   c) comer   d) ter

12. Os portugueses gostam muito de comer sardinhas _____ .

a) cozidas   b) grelhadas   c) fritas   d) assadas

13. Évora é uma bonita cidade _____ .

a) minhota   b) algarvia   c) alentejana   d) açoriana

14. A avó São é _____ . O marido morreu há cinco anos.

a) viúva   b) casada   c) viúvo   d) solteira

15. A Inês foi ao dentista _____ um dente.

a) arrancar   b) cortar   c) arrumar   d) reparar

16. O pescador está no _____ .

a) campo   b) porto   c) consultório   d) estádio

17. Garrafas, frascos e outros recipientes de vidro são lançados diariamente no _____ .

a) painel   b) caixote do lixo   c) vidrão   d) chão

18. Os painéis publicitários servem para informar e _____ .

a) dizer   b) indicar   c) contar   d) anunciar

19. Um grande número de pessoas é uma _____ .

a) tripulação   b) multidão   c) turma   d) orquestra

20. Em chegando o Carnaval, as pessoas _____ e divertem-se bastante.

a) vestem-se   b) saem   c) mascaram-se   d) correm

APÊNDICE LEXICAL
Listagem do vocabulário introduzido no Livro 2

Esta lista apresenta apenas o vocabulário activo constante nas unidades, isto é, o vocabulário dos **Diálogos**, das **Apresentações**, das **Oralidades**, dos **Textos** e das **Escritas**. Assim, o vocabulário passivo apresentado nos documentos autênticos, nas **Áreas gramaticais/Estruturas** ou no **Sumário** não se encontra listado. O vocabulário passivo pode, no entanto, ser utilizado pontualmente, quer nas **Apresentações** quer nos exercícios orais e escritos. Não figuram ainda quaisquer formas verbais, salvo as usadas como «expressão».

O número indicado à frente das palavras/expressões refere-se à(s) Unidade(s) em que estas aparecem. Quando há mais do que um número para a mesma palavra/expressão, o(s) destacado(s) assinala(m) a unidade em que esta foi trabalhada.

VOCABULÁRIO

A

abater	18	a alimentação	9	arredondado	15	basicamente	15
o abecedário	17	aliviar	9	o artesanato	6	o beco	13
aborrecido	9	a almofada	2	o aspecto	15	belo	18
o abraço	2	alterar	17	aspirar	20	bem-disposto	10
abrandar	9	o Alto Alentejo	14	assado	13	a bijutaria	20
absoluto	2	o Alto do Lumiar	6	assaltar	6	o bilhete de identidade	1
absorver	9	o Alto do Restelo	8	o assalto	19	a birra	2
aceitar	7, **18**	o âmbito	11	assiduamente	17	o blusão	20
acelerado	6	o amor	15	assinalar	16	a bolacha	20
acompanhar (com)	13	andar	**10**	a assistência	17	a bolsa de estudo	11
aconselhar	5	andar (a)	**1**	a assistente social	1	o bombeiro	**15**
açoriano	17	o animal	2	associar	13	a bota	20
acrescentar	6	animar	8	até	12	Braga	12
a acrobacia	7	o aniversariante	15	atingir	10	breve	17
a actividade	4	os anos	15	a Atlântida	17	o bricabraque	20
actual	14	a antecedência	7	atracar	11	a buzina	10
o açúcar	11	o antepassado	14	a atracção	4	**C**	
a adaptação	7	antigamente	4	atrair	6	o cabeçudo	19
adaptado	13	as antiguidades	20	atrasar-se	10	o cabeleireiro	14
adaptar	7	anualmente	13	atribuir	11	a cabine telefónica	16
adiar	5	anunciar	16	aturar	2	o cabrito	13
admitir	7	apagar	8	aumentar	6	a caça submarina	20
o adulto	2	aparecer	8	o autarca	6	o cacau	11
a aeróbica	10	a aparência	17	autêntico	14	o chocolate	17
afectar	9	o apelido	1	o autógrafo	14	Cahora Bassa	6
o aficionado	18	apesar de	4	o autor	11	calado	19
afidalgar-se	15	o apetite	8	a autoria	11	o calçado	20
afirmar	6	apoiar	11	a autorização	14	Câmara	14
afixar	16	o apoio	11	a ave de rapina	17	Câmara de Lobos	5
agarrar	20	após	5	a Avenida da Liberdade	13	a Câmara Municipal	
agradar	17	apreciar	8	o azeite	20	de Lisboa	1
o agrado	8	apresentar	11	**B**		a câmara de vídeo	16
agredir-se	13	aproveitar	16	o bailarico	3	a campainha	4
agrícola	4	aproximar-se (de)	10	o baile	19	o campeonato	6
o agricultor	**15**	o aquário	7	o baile de máscaras	19	o Campo Grande	8
a agricultura	4	aquático	7	o bairro	1	o Campo de Santa Clara	20
aguentar	10	o aquecedor	14	o Bairro Alto	15	O Campo de Santana	20
o alargamento	1	o ar	7	o baleeiro	17	a canção	7
a alcatifa	20	arder	5	a baleia	17	cantar	7
a aldeia	2	a arena	18	a banda	3	o cão	14
alegre	19	o aristrocrata	15	o banquinho	16	a capa	13
a alegria	19	aristocratizar-se	15	baptizar	5	a capacidade	10
além-fronteiras	14	armado	13	a barbaridade	18	capaz	10
alentejano	13	o arquipélago	5	o barbeiro	**15**	a capela	2
o Alentejo	13	arquitectónico	14	barcelense	13	a Capela dos Ossos	14
o alfacinha	20	a arquitectura	14	Barcelos	12	a capital	8
Alfama	13	arquivar	20	o barro	12	o carácter	6
o alho-porro	13	o arraial	13	barulhento	10	a característica	18
aliado	4	arranjar	16	o barulho	16	Carcavelos	1

189

quebrar	3	a responsabilidade	9	significar	15	a tradição	13
queimar	5	restituir	6	o silêncio	2	tradicional	13
queimar-se	17	resultar	3	silencioso	2	tradicionalmente	13
quem	**11**	o retoque	2	simplesmente	**17**	a tradução	8
quer... quer	7	o retrato	15	situar-se	12	traduzir	20
a questão	11	rico	19	sob	9	a tralha	20
R		o risco	4	a sobrevivência	4	o trânsito	8
racional	14	rodear	4	social	1	o tratador	7
o ramo	17	romano	14	o sociólogo	6	a tripulação	11
o rápido	8	o Rossio	20	sofrer	7	a tristeza	15
rápido	7	roubar	12	solteiro	1	a tropa	20
raro	7	o roubo	10	a solução	9	o turismo	4
a reacção	7	o rufião	15	o som	10	o turista	8
readquirir	14	o ruído	10	sonoro	10	turístico	4
real	19	ruidoso	10	sorrir	19	**U**	
a realidade	17	as ruínas	14	o sorriso	19	a úlcera	9
a realização	11	**S**		o sótão	2	ultimamente	18
realizar	11	saboroso	4	o *stress*	9	ultrapassar	10
o realojado	6	sagrado	3	o sucesso	2	a Universidade de Évora	14
realojar	6	salgado	19	a sugestão	11	universitário	15
recente	7	o salgado	20	o sul	6	a urbanização	6
recentemente	11, **17**	saltar	7	superior	10	urbanizar	6
a recepção	11	o salto	7	a supervisão	11	usado	7
reciclar	16	a salvação	5	o suplemento	5	usar	15
o recinto	10	salvar	**18**	surpreendente	8	**V**	
o recipiente	16	o samba	19	surpreender	8	o vadio	15
recolher	8	sanguinário	18	a surpresa	8	valente	18
recordar	2	o Santo António	13	**T**		a valentia	18
recorrer	16	os Santos Populares	13	a tabacaria	**20**	valioso	14
o recreio	3	o S. João	13	o tabaco	11	o valor	14
o recrutamento	17	o S. Pedro	13	o tanque	7	a vantagem	8
recrutar	17	a sapataria	**20**	a tasquinha	13	a variante	15
recuar	14	a sardinha	13	a tauromaquia	18	vazio	16
a redacção	5	a saudade	15	tauromáquico	18	a vegetação	5
reduzir	9	saudável	9	teatral	11	as velharias	20
o refeitório	2	a saúde	10	o Teatro Nacional		vender	20
referir	6	se	**7**	de S. Carlos	11	verdadeiro	19
regado	13	a Sé de Braga	12	técnico	6	a vergonha	2
a regalia	9	secar	**18**	a telenovela	18	o verso	16
regatear	20	seco	5	o tema	11	o vestígio	17
a região autónoma	11	a Secretaria de Estado do Ambiente	10	temperado	17	em vez de	1
regular	15			a tempestade	5	o vidrão	16
regularmente	11	a Secretaria de Estado do Trabalho	6	o templo	14	o vinho tinto	13
o rei	19	secular	13	o Templo de Diana	14	o vinho verde	13
a relação	5	o secundário	1	a tensão	9	a viola	15
Relações Internacionais	1	a sede	11	o terminal	4	violento	5
relativo	11	seguro	3	a terra	3	viseense	13
reler	20	selvagem	18	o território	4	Viseu	3
o remédio	12	o semanário	6	o terror	2	o visitante	7
remontar	14	senão	2	o tesouro	14	a vítima	18
renascentista	14	a sensação	14	o testemunho	14	viúvo	1
a renda	3	o sentido	11	típico	4	vivamente	19
renovar	16	o sentimento	15	tocar	3	viver	16
reparar	16	o ser...	10	tornar	5	vizinho	3
repetir	5	o serão	2	tornar-se	15	o vizinho	7
a reportagem	1	a série	8	Torres Vedras	19	em volta de	14
representativo	14	a serpentina	19	a tourada	18	voltar (a)	14
reservar	15	servir	13	o toureio	18	vulcânico	5
a residência	7	a sigla	11	o toureiro	18	**Z**	
respectivo	20	o significado	15	o touro (o toiro)	18	zangar-se	2
respeitável	15						

EXPRESSÕES